Español Lengua Extranjera

Curso para

¿Español? ¡Por supuesto!

3
A2+

Óscar Rodríguez

David R. Sousa

edelsa

GRUPO DIDASCALIA, S.A.

Índice

¿Español? ¡Por supuesto!

¡Ponte en marcha!

Comprensión de lectura

¿Sabes qué es un parque de la naturaleza?

1 Observa las fotos y relaciona cada una con la palabra adecuada. Justifica tu respuesta.

parque de la naturaleza

zoológico

1 naturaleza
2 ciudad
3 jaula
4 plantas
5 animales en semilibertad

Cabárceno: un parque de la naturaleza

2 Infórmate sobre uno de los parques de la naturaleza más famosos de España y marca si son verdaderas o falsas las afirmaciones que se hacen.

Cabárceno, ¡animales felices!

Cabárceno abrió sus puertas en 1990. Está situado en el valle del Pisueña, muy cerca de Santander. La zona que actualmente ocupa el parque fue una mina que ya ha desaparecido.

En este parque de la naturaleza podemos encontrar cerca de 150 especies de animales de todas las partes del mundo. Aquí los animales están en semilibertad, es decir, pueden moverse libremente por grandes superficies de terreno en las que normalmente conviven una o más especies.

El parque propone muchas actividades diferentes para los visitantes. Además de conocer y ver de cerca a los animales, se puede participar en los diferentes espectáculos en los que los protagonistas son los animales, seguir las rutas botánicas para conocer la flora, etc.

El parque también desarrolla trabajos de investigación relacionados con la conservación de especies en peligro de extinción.

Puedes visitar Cabárceno todos los días del año, excepto el 24, 25 y 31 de diciembre y el 1 de enero. ¡No tienes excusas para no vivir esta experiencia!

Adaptado de www.parquedecabarceno.com

En Cabárceno...   V/F

1 Conviven más de cien especies de animales. ☐
2 Los animales están totalmente libres. ☐
3 Hay actividades relacionadas con las plantas. ☐
4 Puedes pasar la Navidad con tus animales favoritos. ☐

Comprensión auditiva

tuaulavirtual
PISTA 1

**Después de visitar Cabárceno, Daniel habla con su abuela sobre su experiencia.
Escucha y elige la opción correcta.**

1 ¿Qué actividades han hecho por la tarde?

   a Han visto animales en lugares cerrados. ☐

   b Han visitado la zona de aves. ☐

   c Han hecho una ruta botánica. ☐

2 ¿Qué tiempo ha hecho durante la visita?

   a Ha hecho buen día. ☐

   b No ha llovido. ☐

   c Ha llovido, pero poco. ☐

3 ¿Qué ropa han llevado?

   a Adecuada para el tiempo. ☐

   b No muy adecuada. Han tenido frío. ☐

   c Han tenido que comprar un paraguas. ☐

4 ¿Qué han comido durante la visita al parque?

   a *Pizza*. ☐

   b Bocadillo. ☐

   c Comida típica de la región. ☐

5 ¿Qué animal no menciona Daniel durante su conversación? Márcalo.

Expresión escrita

Observa el recorrido que han hecho estas personas en Cabárceno y escribe un pequeño resumen describiéndolo.

Leyenda

Información	Restaurante	Cafetería	Teleférico	Servicios
Tienda	Adaptado	Demostraciones	*Parking*	Mirador

Expresión e interacción orales

- ¿Has estado alguna vez en un parque como Cabárceno?
  ¿Qué otros parques (de aventura, de atracciones, etc.) has visitado?
  Cuenta tu experiencia.

- Pregunta a tu compañero por esta semana: dónde ha ido, qué ha hecho, cómo ha pasado el fin de semana, etc.

Comprensión de lectura

Ciudades de España: Barcelona

1 ¿Qué ciudades conoces de España? ¿Dónde están? ¿Qué sabes de ellas? ¿Conoces algún lugar interesante de esa ciudad?

2 Lee la siguiente información sobre Barcelona. Después, marca si son verdaderas o falsas las afirmaciones.

BARCELONA

La Rambla es una de las calles más famosas de Barcelona. Muchos quioscos, puestos de venta de flores, estatuas humanas y pintores callejeros ocupan un paseo por donde pasan diariamente artistas, ciudadanos y cientos de turistas.

La Rambla

En esta calle el arte está por todas partes. Miles de personas caminan diariamente sobre un cuadro que está dibujado en el suelo justo en el centro del paseo y que pertenece a Joan Miró, el famoso pintor catalán.

Uno de los edificios más famosos en la Rambla es el Teatro del Liceo. Fue uno de los teatros de ópera más grandes del mundo. En 1994 un gran incendio lo destruyó, pero lo volvieron a construir con su forma original.

El mercado de La Boquería es otro de los lugares famosos de la ciudad. Allí puedes encontrar verdura, carne, pescado, pan y muchos productos diferentes.

Es el mercado de alimentación más antiguo de Barcelona. Abrió sus puertas en 1840.

Mercado de La Boquería

En la Rambla...	V/F
1 No se puede caminar porque los quioscos de flores la ocupan completamente.	☐
2 Mucha gente pasa cada día por encima del cuadro de un famoso pintor.	☐
3 Está el teatro más grande del mundo.	☐
4 Puedes comprar alimentos en uno de los lugares más famosos de Barcelona.	☐
5 Hay un mercado con más de 500 años.	☐

Comprensión auditiva

Vas a escuchar dos diálogos en los que se explica cómo llegar al Teatro del Liceo. Indica qué diálogo corresponde al mapa.

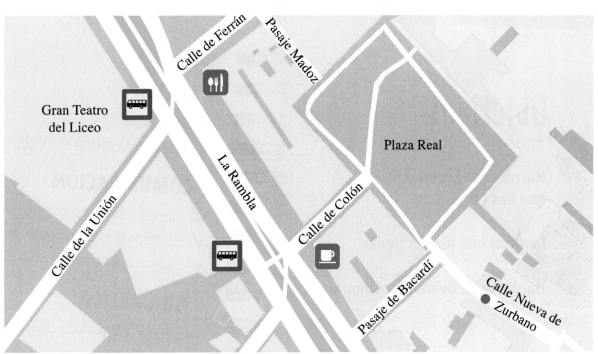

Expresión escrita

- **Escribe una breve descripción de tu barrio. Explica qué hay (lugares de ocio, alimentación, lectura, transporte, deporte, salud y educación) y dónde está cada lugar.**

- **Escribe a un amigo un SMS para decirle cómo llegar desde la parada de autobús o metro más cercana hasta tu casa.**

Expresión e interacción orales

- **¿Recuerdas tu último viaje? Haz una breve presentación en clase explicando cómo fue, cuándo, a dónde fuiste y con quién, qué hiciste, qué lugares visitaste, etc.**

- **Simula un diálogo con tu compañero.**

    Alumno A: Propones a tu compañero hacer una actividad en el barrio esta tarde.
    Alumno B: Rechazas la invitación y explicas que tienes otro plan.
    Alumno A: Propones otra actividad para el sábado.
    Alumno B: Aceptas y preguntas a qué hora y cómo llegar.
    Alumno A: Dices cuándo quedáis y explicas cómo llegar.

1 Aprendemos idiomas

Objetivos

1 Narrar acontecimientos que has vivido

2 Explicar qué planes tienes

3 Hablar de actividades rutinarias

▶ **LÉXICO**

✓ Estudiar idiomas
✓ Las rutinas y actividades de tiempo libre

▶ **COMUNICACIÓN**

✓ Cuentas cómo has pasado tus vacaciones
✓ Hablas de tu estancia en otro país
✓ Explicas qué haces en tu vida diaria

▶ **GRAMÁTICA**

● El pretérito perfecto compuesto
● *Ir a* + infinitivo
● Las perífrasis verbales: *dejar de, volver a, empezar a* + infinitivo

Vivir en sociedad

❖ El consumismo

ÁREA de Lengua

❖ El español de España e Hispanoamérica

MAGACÍN de lectura

❖ Aventuras para 3: *El robo del manuscrito*
❖ Proyecto final

ACTIVIDADES Y RUTINAS

1 Observa las imágenes y marca qué haces en vacaciones (V),
el resto del año (R) y en las dos ocasiones (D).

1 Bañarse en la playa ☐ 2 Hacer deporte ☐ 3 Hacer deberes ☐ 4 Ir a clase ☐

5 Jugar con la consola ☐ 6 Estudiar idiomas ☐ 7 Hacer *camping* ☐ 8 Visitar ciudades ☐

ESTUDIAR IDIOMAS

2 Según tus gustos, puntúa del 1 al 4 las actividades
que ha hecho Mary durante su estancia en España.

☐ visita cultural ☐ trabajar en clase ☐ tiempo libre ☐ convivir con una familia

UN NUEVO CURSO

3 Completa con la opción correcta, como en el modelo.

Terminan las vacaciones y Mary...

1 Deja de... [C]

2 Vuelve a... [B]

3 Empieza a... [A]

a ir a clase.

b ver a sus compañeros.

c dormir hasta tarde.

¿Qué has hecho en vacaciones?

Mary y sus amigos escriben sobre sus vacaciones

1 Mary C

¡¡Guau!! Mis vacaciones han sido geniales. ¡He estado un mes estudiando Español en Málaga! He visitado la ciudad, he ido a clase todos los días y he conocido a mucha gente de todo el mundo. ¡He leído un libro entero en español! Estoy muy contenta.

2 Pedro B

Mis vacaciones han sido muy divertidas. He estado con mis abuelos en el pueblo. Por las mañanas he hecho los deberes de verano y por las tardes he estado con mis amigos: nos hemos bañado en la piscina, hemos jugado a la videoconsola, hemos ido a patinar y nos hemos acostado muy tarde. ¡Me han encantado mis vacaciones!

3 Carolina A

Mis vacaciones han sido muy familiares. Mis hermanos y yo hemos viajado con nuestros padres. Hemos recorrido Portugal con nuestro coche y nuestra tienda de campaña. Nos hemos bañado en el mar, hemos visitado muchas ciudades diferentes, hemos probado la comida portuguesa y hemos aprendido palabras en portugués.

Estudias idiomas

1 Lee los comentarios de Mary y sus amigos y relaciona cada uno con las fotos adecuadas.

2 Escucha a Mary hablando de su experiencia en Málaga. Marca lo que más le ha gustado (+) y lo que menos (-).

tuaulavirtual
PISTA 3

1	La familia	+	5	El clima	−
2	La comida	+	6	La escuela	+
3	La casa	−	7	Las clases	+
4	La ciudad	+	8	Los horarios de la escuela	−

Eliges destino

3 Lee las siguientes propuestas para estudiar Español. Indica si las actividades de cada una te parecen ventajas (V) o inconvenientes (I).

¡Te ofrecemos dos posibilidades para las próximas vacaciones!

¡Español en Madrid!

☐ Estudia en la capital de España y conoce la comida española.

☐ Disfruta de la vida cultural en «La ciudad de los museos».

☐ Visita las diferentes ciudades históricas que hay cerca: Toledo, Ávila, Segovia, Cuenca, etc.

☐ **Duración del curso:** 1 a 4 semanas

☐ **Horas de clase al día:** 2, 4 o 6

☐ Diferentes tipos de familia para elegir (grande/pequeña)

Buenos Aires

☐ Vive una experiencia única con clases de Español mientras descubres la cultura argentina.

☐ Aprende tango y practica divertidas actividades acuáticas.

☐ Descubre la Patagonia con tu familia argentina.

☐ **Duración del curso:** 3 a 8 semanas

☐ **Horas de clase al día:** 4 o 6

☐ ¡Tú eliges las horas de Español que necesitas!

4 Elige una de las propuestas anteriores y completa este formulario de solicitud para participar en un curso de Español.

5 Escribe un anuncio similar a los anteriores para publicarlo en la página web de tu instituto.

FORMULARIO DE INSCRIPCIÓN _____

- Nombre y apellidos: _____
- País de origen: _____
- ¿Cuánto tiempo has estudiado Español? _____
- ¿Has estado en otros países de habla hispana? Sí / No ¿Cuáles? _____
- ¿Has estudiado Español en otros países de habla hispana? Sí / No
- ¿Cuánto tiempo quieres estudiar Español? _____
- Número de horas de clase que quieres: 2 ☐ 4 ☐ 6 ☐
- Prefieres convivir con una familia:
  - ☐ grande (+ 5 miembros) - ☐ pequeña (3/5 miembros)

[Ahora tú]

- ¿Qué actividades relacionadas con el aprendizaje de idiomas te parecen más interesantes? ¿Cuáles no? Justifica tu respuesta.
- ¿Puedes añadir otras?

2 Estudiar idiomas

Mary cuenta su experiencia

tuaulavirtual
PISTA 4

fantástico
muy bien
clase en
casa

1 Escucha la entrevista de Mary sobre su estancia en España y responde las preguntas.

español   cincuenta mil

1 ¿Cuántos estudiantes han participado en el programa para aprender idiomas?
2 ¿Qué ha sido lo más difícil para Mary durante su estancia en España?
3 ¿Qué problema ha tenido siempre para hablar otros idiomas?
4 ¿Ha estado la familia de Mary en Málaga?
5 ¿Por qué está contenta con su experiencia?
6 ¿Qué dos sinónimos del verbo *gustar* ha aprendido Mary?

¿Quieres disfrutar de una experiencia lingüística diferente?

- La manera más rápida de mejorar el idioma mientras conoces una nueva cultura y vives con una familia nativa.
- El curso incluye clases, diferentes actividades y mucho tiempo libre.
- Miles de estudiantes han mejorado su español.

Participa en nuestros programas de idiomas para jóvenes

2 Ahora, relaciona cada pregunta con su respuesta adecuada. Ordena la entrevista.

1 Hola, Mary, ¿cuántos años tienes y dónde has estudiado Español?   `b`
2 ¿Has visto a tus padres durante tu estancia?   `c`
3 ¿Recomiendas la experiencia a otros estudiantes?   `a`
4 ¿Qué tal las clases de Español?   `e`
5 Has vivido con una familia española, ¿cómo ha sido la experiencia?   `f`
6 ¿*Mola*? ¿*Guay*?   `d`

a ¡Sí, claro! Ha sido guay, la mejor experiencia de mi vida. He conocido a muchos chicos y chicas españoles, he descubierto una cultura diferente y he mejorado mucho mi español. Y eso mola.

b Hola, este verano he cumplido 16 años y he estudiado en Málaga.

c No, pero hemos hablado varias veces por videoconferencia y les he enviado muchas fotos. ¡Conocen la ciudad igual que yo!

d ¡Ha sido fantástica! Todos han sido muy simpáticos conmigo, pero he necesitado un poco de tiempo para adaptarme a sus costumbres. Eso ha sido lo más difícil.

e Muy bien. He ido a clase todos los días. Siempre he hablado español en casa y luego, en clase, no he tenido vergüenza. La vergüenza siempre ha sido un problema para mí, pero estoy muy contenta porque mi profesor me ha dicho que he mejorado mucho.

f Sí, esas palabras me las han enseñado Rebeca y Alicia, las hijas de mi familia española. Los chicos en España las usan para decir que algo está muy bien.

El pretérito perfecto compuesto

CE. 1, 2, 3, 4 (pp. 6, 7)

3 ¿Qué tiempo utiliza Mary para hablar de experiencias pasadas recientes? [   ]
Localízalo en la entrevista y escribe cada uno al lado de su infinitivo.

1 estudiar	7 hablar ....
2 cumplir	8 visitar ....
3 ser	9 enviar ....
4 tener	10 conocer ....
5 necesitar	11 mejorar ....
6 ir	12 enseñar ....

4 Ahora, escribe el infinitivo de estos participios irregulares que aparecen en la entrevista.

1 dicho [dice]   **2** descubierto [descubir]   **3** visto [ver]

5 Mary ha escrito su experiencia para su clase de Español.
Completa con los verbos en pretérito perfecto compuesto.

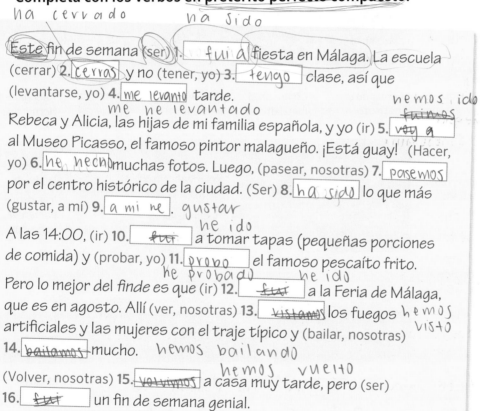

ha cerrado   ha sido

Este fin de semana (ser) **1.** fui a fiesta en Málaga. La escuela
(cerrar) **2.** cerras y no (tener, yo) **3.** tengo clase, así que
(levantarse, yo) **4.** me levanto tarde.
me he levantado
hemos ido
Rebeca y Alicia, las hijas de mi familia española, y yo (ir) **5.** voy a
al Museo Picasso, el famoso pintor malagueño. ¡Está guay! (Hacer,
yo) **6.** he hecho muchas fotos. Luego, (pasear, nosotras) **7.** paseamos
por el centro histórico de la ciudad. (Ser) **8.** ha sido lo que más
(gustar, a mí) **9.** a mi me gustar

A las 14:00, (ir) **10.** fui a tomar tapas (pequeñas porciones
he ido
de comida) y (probar, yo) **11.** probo el famoso pescaíto frito.
he probado   he ido
Pero lo mejor del finde es que (ir) **12.** fui a la Feria de Málaga,
que es en agosto. Allí (ver, nosotras) **13.** vistamos los fuegos hemos
artificiales y las mujeres con el traje típico y (bailar, nosotras)   visto
14. bailamos mucho. hemos bailando
hemos vuelto
(Volver, nosotras) **15.** volvimos a casa muy tarde, pero (ser)
16. fui un fin de semana genial.
ha sido

[Ahora tú]

- ¿Cómo son las personas que aparecen en la foto?
  Descríbelas. ¿Dónde están? ¿Por qué están ahí?
  ¿De dónde vienen o a dónde van?

- ¿Cómo han sido sus vacaciones? ¿Qué han hecho?

3 Mi agenda semanal

La agenda de Pedro

> La próxima semana empiezan las clases en el instituto, voy a apuntarlo en la agenda. No quiero olvidar nada.

1 Lee la agenda de Pedro y escribe en tu cuaderno:

1 Actividades durante el tiempo de vacaciones.
2 Obligaciones durante los días de vacaciones y durante el curso.
3 Cosas que va a hacer al empezar el curso.
4 Planes para el fin de semana.

	Lunes 13	Martes 14	Miércoles 15	Jueves 16	Viernes 17	Sábado 18	Domingo 19
7:00 9:00			Recoger mi dormitorio Primer día de clase en el instituto	Recoger mi dormitorio Clases en el instituto	Recoger mi dormitorio Clases en el instituto		
9:00 13:00	Recoger mi dormitorio Comprar pan y hacer bocadillo	Recoger mi dormitorio Último día de surf	Comer en el instituto	Comer en el instituto	Comer en el instituto	Recoger mi dormitorio Clases de guitarra	Recoger mi dormitorio
13:00 18:00	Comida en la playa con amigos Curso de surf	Comprar regalo (cumple de Luis)	Entrenamiento baloncesto	Clases de guitarra	Entrenamiento baloncesto Hacer deberes		Comida con la abuela Ir al centro comercial con Raúl
18:00 20:00	Patinar	Cine con los chicos y Burger		Patinar	Patinar	Fiesta cumple de Luis	
20:00 22:00	Sacar la basura		Sacar la basura	Sacar la basura	Sacar la basura		Preparar material para clase

VACACIONES — CLASES — FIN DE SEMANA

Ir a + infinitivo se usa para expresar una acción futura.

¿Qué van a hacer...?  CE. 2, 3 (p. 9)

2 Pregunta a tus compañeros por sus planes para el próximo fin de semana y toma notas. Decide qué plan es:

1 El más loco

2 El más divertido

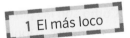
3 El más interesante

4 El más aburrido

Presenta tus conclusiones en clase.

Las perífrasis de infinitivo

 CE. 4 (p. 9)

3 Lee otra vez la agenda de Pedro. Relaciona cada expresión en color con su significado.

1 Empieza a comer en el instituto.
2 Vuelve a ver a sus compañeros.
3 Deja de hacer surf.

a Final de una acción
b Inicio de una acción
c Repetición de una acción

Pedro tiene planes

4 Escucha los planes de Pedro y clasifica estas acciones en el lugar adecuado.

tuaulavirtual
PISTA **5**

1

escribir la agenda

2

acostarse tarde

3

ir a clase de natación

4

levantarse pronto

5

entrenar con el equipo de baloncesto

6

ir a la playa

7

hacer surf

8

estar con sus compañeros

empezar a	dejar de	volver a
1	2, 4, 3, 6, 7	5, 8, 4

[Ahora tú]

Comenta con tu compañero qué has hecho durante tus vacaciones y cómo ha cambiado ahora tu día a día: qué empiezas a hacer, qué vas a dejar de hacer, qué vas a volver a hacer.

Repasas
la gramática

Escribe las respuestas en tu cuaderno

El pretérito perfecto compuesto

1 Relaciona las columnas y forma frases adecuadas.

1	Esta mañana	a	he tenido exámenes	ı	en el recreo.
2	Este fin de semana	b	no he ido a clase	ıı	tres días.
3	Esta semana	c	he jugado al fútbol	ııı	porque estoy enfermo.
4	A las 11:30	d	he desayunado	ıv	a mi abuela.
5	Hoy	e	he ido a visitar	v	leche con cereales.

2 Completa con la forma correcta del pretérito perfecto compuesto.

1 Esta semana (ir, yo) _voy a_ tres veces a la piscina.

2 ¿(Ver, vosotros) _vimos_ mi teléfono móvil? No lo encuentro.

3 Hoy no (hacer, tú) _hices_ los deberes de Matemáticas.

4 En clase el profesor no (decir) _dice_ la fecha del examen.

5 ¿(Jugar, ellos) _juegan_ al tenis este fin de semana?

6 Este mes (escribir, yo) _escubir_ muchos correos a mi amiga Lorena.

7 Manuel y yo (resolver) _resolve_ el problema de Matemáticas en 5 minutos.

8 Hoy Lorena no (venir) _veni_ a clase porque está enferma.

3 Ordena las palabras y escribe frases en pretérito perfecto compuesto.

1 dormir / mis primos y yo / este fin de semana / en una tienda de campaña

este fin de semana mis primos y yo dormir en una tienda de campaña

2 en avión / este mes / por primera vez / ella / viajar

este mes por primera ves ella viajar en avion.

3 esta mañana / la cama / Ricardo / hacer

ricardo Esta mañana Ricardo hacer la cama.

4 ponerse / mi pantalón favorito / yo / hoy

hoy yo ponerse mi pantalon favorito.

5 ¿este libro / vosotros / leer?

¿este libro vosotros leer?

6 ¿volver / a qué hora / a casa / hoy / tú?

7 ¿un mensaje al móvil / escribir (tú) / a Daniel?

8 no / este fin de semana / el partido de fútbol / en televisión / ver / nosotros

Ir a + infinitivo

4 Observa y escribe qué van a hacer la próxima semana.

1 (yo) *voy a levantarme pronto*

2 *voy a hacer deporte (jugar tenis)*

3 *voy a estudiar*

4 ~~voy~~ *ver una película*

5 *voy a*

6 *voy a jugar un videojuego.*

7 ....

8 ~~voy~~ *va a leer*

Las perífrasis de infinitivo

5 Completa con la perífrasis adecuada (*volver a / dejar de / empezar a*).

1 Lleva el paraguas porque antes ha llovido y va a [*volver a*] llover.

2 Me encanta el deporte y no quiero [*dejar de*] jugar al tenis.

3 No hablamos alemán, pero vamos a [*empezar a*] estudiarlo el mes que viene.

4 Nunca es tarde para [*empezar a*] estudiar un nuevo idioma.

5 Quiero [*volver a*] ver esta película, me ha gustado mucho.

6 Van a [*empezar a*] ir a clase en coche, quieren ir en bici.

7 Vamos a [*dejar de*] ver la televisión y [*empezar de*] estudiar para el examen.

8 Es mi canción favorita, ¿podemos [*volver a*] escucharla?

6 ¿Qué pasa cuando termina el verano y llega el otoño? Observa las imágenes y escribe un breve párrafo utilizando *volver a*; *dejar de*; *empezar a* + infinitivo.

3 Volver a la ciudad

4 Utilizar jersey

1 Ir a clase

2 Llover

5 Jugar al baloncesto

6 Ir de excursión

Vivir en sociedad

El consumismo

1 Todos somos consumidores, pero ¿sabes qué significa *consumismo*?
Lee la siguiente información y compruébalo.

El consumismo significa comprar muchos productos innecesarios o rápidamente sustituibles.

Telefonía, electrónica, moda o comida rápida son ejemplos de productos que consumimos en ocasiones de manera poco racional.

Muchos jóvenes buscan la aceptación social y su propia satisfacción personal a través de la compra de este tipo de productos y tienen la sensación de que estas falsas necesidades son vitales.

Es importante ser consciente de las necesidades importantes y tener un estilo de vida como consumidores y no como consumistas para desarrollar la propia identidad.

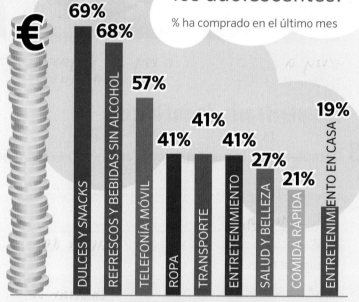

¿En qué gastan su dinero los adolescentes?

% ha comprado en el último mes

- 69% DULCES Y SNACKS
- 68% REFRESCOS Y BEBIDAS SIN ALCOHOL
- 57% TELEFONÍA MÓVIL
- 41% ROPA
- 41% TRANSPORTE
- 41% ENTRETENIMIENTO
- 27% SALUD Y BELLEZA
- 21% COMIDA RÁPIDA
- 19% ENTRETENIMIENTO EN CASA

El consumismo puede tener consecuencias negativas para el planeta (excesivo consumo de recursos naturales), para la sociedad (más diferencia entre ricos y pobres) y para las familias (más gasto).

2 Decide si los siguientes objetos o productos son imprescindibles (I), evitables (E) o innecesarios (IN).

1 libros y diccionarios ☐
2 dulces ☐
3 un teléfono móvil ☐
4 una televisión ☐
5 la paga semanal ☐
6 agua potable ☐
7 ropa de moda ☐

8 una bicicleta ☐
9 un ordenador ☐
10 medicamentos ☐
11 conexión a Internet en el móvil ☐
12 una consola de videojuegos ☐
13 frutas y verduras ☐
14 un frigorífico ☐

15 hamburguesas ☐
16 aire acondicionado y calefacción ☐
17 un microondas ☐
18 luz eléctrica ☐
19 viajes ☐
20 un coche ☐

3 En grupos, elegid 3 elementos imprescindibles y 3 innecesarios de la lista anterior y explicad vuestra decisión en clase.

El español de España y de Hispanoamérica

1 Infórmate sobre el español que se habla en España y en Hipanoamérica.

El español es una lengua con más de 500 millones de hablantes. Es el idioma oficial de 21 países. Aunque todos los hispanohablantes pueden entenderse entre sí, existen diferencias entre el español de los diferentes países, pero especialmente entre el español de España y el de Hispanoamérica.

El vocabulario

Seguramente, donde más diferencias podemos encontrar entre países de habla hispana es en el vocabulario porque, a veces, se usan palabras diferentes para definir un mismo objeto.

	España	Argentina	México	Venezuela
1	autobús	colectivo	camión	buseta
2	judías	porotos	frijoles	caraotas
3	camiseta	remera	playera	franela
4	chico	pibe	chavo	chamo
5	dinero	plata	lana	plata

El voseo

Otra característica importante es que en Argentina, Uruguay y Paraguay, entre otros países hispanoamericanos, se utiliza la forma *vos* en lugar del pronombre *tú*.

El uso de *vos* tiene una conjugación distinta en algunos tiempos verbales como, por ejemplo, en el presente.

¿Tú eres argentino? → ¿Vos sos argentino?

verbo	tú	vos
ser	eres	sos
tener	tienes	tenés
levantarse	te levantas	te levantás
decir	dices	decís

2 Lee las siguientes frases, ¿a cuál de estos países pertenecen?

a Venezuela   b México   c Argentina   d España

1 Tomamos la buseta para ir a clase. ☐
2 Vos no tenés nada de plata. ☐
3 Compro franelas nuevas para los chamos. ☐
4 A mí no me gustan las judías. ☐
5 ¿Vos de dónde sos? ☐
6 Esa chica es mi hermana. ☐
7 Tienes la misma playera que aquel chavo. ☐

3 Ahora, intenta escribir las frases de los países de Hispanoamérica en español de España y las frases españolas con el vocabulario de un país de Hispanoamérica.

El Ladrón de la Virgen

Este año, Juan, Andrés y Rocío no tienen que preparar las vacaciones. Saben adónde van a ir. Han ganado el premio «El Camino de la Lengua Castellana», y van a seguir con los otros ganadores el circuito que les han preparado.

–Nos llevan por las tierras de Castilla –dice Rocío.

–Nos subimos en el autobús, y ¡a visitar muchos lugares y ver muchas cosas!

–¿No os parece que va a ser un poco aburrido? –pregunta Juan.

–Tranquilos. Algo va a pasar, os lo digo yo –asegura Rocío.

El viaje comienza en La Rioja, en el pueblo de San Millán de la Cogolla, para ver dos monasterios: el de Suso y el de Yuso. Primero visitan el de Suso, que es el más antiguo, y luego bajan andando al de Yuso. El paseo es muy agradable y el paisaje precioso. Hacen un descanso y los chicos se sientan en la hierba.

–¡Qué emoción!, estamos donde nació el castellano –dice Rocío.

–Es verdad, es un lugar especial –afirma Andrés.

Juan no dice nada, él está dibujando un castillo.

–Sabes que estamos en un monasterio, no en un castillo, ¿verdad? –bromea Andrés.

–Ya sabéis que me encantan los castillos. Y anoche soñé con este. Mirad, aquí hay un camino secreto donde se escondían los tesoros.

–Luego sigues dibujando –le dice Rocío–, ahora hay que entrar en el monasterio.

Delante del monasterio ven por primera vez la escultura que indica el Camino de la Lengua Castellana.

–¡Qué bonito! –exclama Juan–. ¡Es una hoja de papel con una pluma grande para escribir!

Los chicos visitan el monasterio y ven unos carteles: «Primeras glosas en castellano». Después entran en el Salón de la Lengua que tiene los escudos y banderas de todos los países hispanos y de Filipinas.

–Anda, aquí está el busto del poeta Gonzalo de Berceo –señala Andrés.

–La verdad es que no entiendo cómo en un monasterio puede nacer una lengua.

–Hombre, Juan, no, una lengua no nace en un monasterio –dice Andrés.

–No, claro, aquí había monjes que trabajaban copiando los manuscritos en latín, que era la lengua «madre». Pero la gente ya no hablaba latín. Hablaba castellano, que era una de las lenguas «hijas» del latín, como el francés, el gallego, el catalán, el italiano y otras.

–Y el monje que copiaba –sigue Andrés–, para ayudar a entender los textos en latín, escribía algunas notas en castellano, las glosas. Y aquí están las primeras.

–¡Qué bien lo explicáis, sobre todo tú, Rocío! –dice Juan, y Rocío se pone colorada.

1 Busca en el *texto* las palabras adecuadas para estos significados.

1 [_____] : recompensa que se da por hacer algo bien.

2 [_____] : lugar donde viven los monjes.

3 [_____] : objeto que en la antigüedad se usó para escribir.

4 [_____] : escultura con forma de la cara de una persona.

5 [_____] : símbolo de un país.

Andrés

2 Responde a estas preguntas sobre el *texto*.

1 ¿Cómo se llaman los tres protagonistas de la historia? ¿Dónde van de vacaciones?

2 ¿Dónde están los monasterios? ¿Cuál se construyó antes?

3 ¿Qué dibuja Juan? ¿Por qué?

4 ¿Qué encuentran en la zona del monasterio?

5 ¿Qué tiene de especial el monasterio que están visitando?

6 ¿Qué es una glosa?

San Millán de la Cogolla

Monasterio de Yuso

Monasterio de Suso

PROYECTO *final*

En grupos:

• Buscad más información sobre el Camino de la Lengua Española y completad el mapa.

• Elegid una ciudad de la ruta y explicad su relación con el nacimiento del castellano.

• Preparad una presentación (PowerPoint, cartel, *collage*, etc.) sobre ese lugar y explicadla en clase.

¡Gana la presentación más original!

¿Cómo era antes?

Objetivos

1 Hablar de cuando eras pequeño

2 Describir qué hacías antes

3 Indicar acuerdo o desacuerdo

▶ **LÉXICO**

✓ Los objetos antiguos y modernos

✓ Las actividades de niños y de jóvenes

✓ Los instrumentos musicales

▶ **COMUNICACIÓN**

✓ Hablas de acciones habituales en el pasado

✓ Describes cosas y personas antes y ahora

✓ Comparas acciones habituales en pasado y presente

✓ Expresas acuerdo y desacuerdo

▶ **GRAMÁTICA**

● El pretérito imperfecto

● Acuerdo y desacuerdo: *a mí también, a mí tampoco, a mí sí, a mí no*

● Los indefinidos: *algo/nada, alguien/nadie*

Vivir en sociedad

∴ **La piratería**

ÁREA de Música

∴ **Música de Hispanoamérica y de España**

MAGACÍN de lectura

∴ **Aventuras para 3:** *El triángulo de oro en al-Ándalus*

∴ **Proyecto final**

OBJETOS ANTIGUOS Y MODERNOS

1 Relaciona cada objeto antiguo con su correspondiente actual.

old — pasado

[Antiguo] →

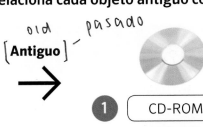

1 CD-ROM   **2** teléfono fijo   **3** ordenador

Actual →

| 1 | tableta | 3 | llave USB | 2 | móvil |

CUANDO ERA PEQUEÑO

2 Relaciona cada actividad con la imagen adecuada.
Después, indica tus actividades de antes (AN) y de ahora (AH).

1 Ver películas infantiles... ☐

2 Ir al cine con amigos... ☐

3 Jugar con la videoconsola... ☐

4 Jugar en el parque infantil... ☐

5 Ir al colegio con tus padres... ☐

 ☐  ☐  ☐  ☐  ☐

ACUERDO Y DESACUERDO

1 *Me gusta jugar a la videoconsola.*

(tú) A mí ☐

2 *No me gusta leer.*

(tú) A mí ☐

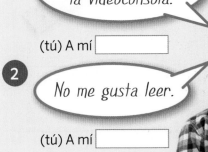

3 Lee qué le gusta a Diego y, según la información, reacciona con tus gustos.

☺ ☹

Me gusta el chocolate
☺ A mí también
☹ A mí no

NO me gusta el fútbol
☹ A mí tampoco
☺ A mí sí

Diferentes generaciones

Diego intercambia objetos en la web

Williepop

Diego

Compártelo

Objetos de intercambio:

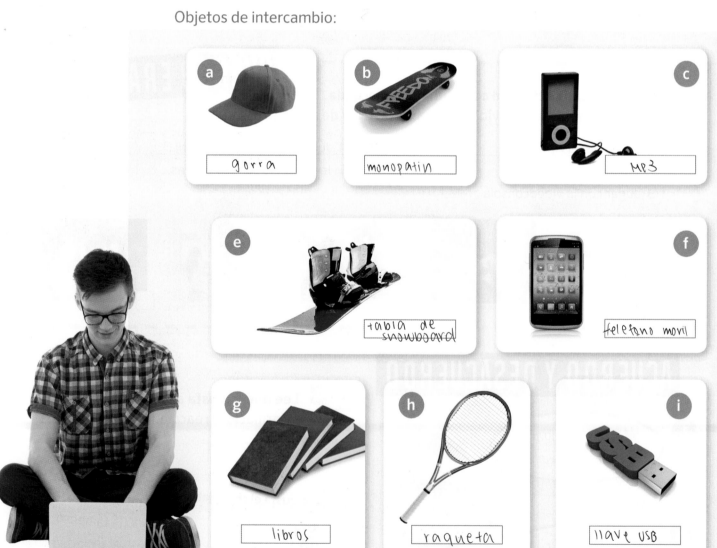

a — gorra

b — monopatin

c — MP3

e — tabla de snowboard

f — telefono movil

g — libros

h — raqueta

i — llave USB

Los objetos antiguos y modernos

exceptionl only montar la "montar la caballo" on everything

CE. 1 (p. 10)

1 Observa esta web de intercambio de objetos.
Escribe, debajo de cada foto, el nombre del objeto adecuado.

1 llave USB 2 gorra 3 MP3 4 teléfono móvil 5 saco de dormir
6 raqueta 7 libros 8 tabla de *snowboard* 9 monopatín 10 consola

2 Relaciona cada una de estas acciones con un objeto del ejercicio
anterior.

montar en

1 jugar	j	5 leer	g
2 dormir	d	6 escuchar	c
3 hacer	e	7 hablar	f
4 guardar	i	8 protegerse	a

to keep *protect*

9 montar [~~~] b
10 practicar [~~~] h

Sirve para...

CE. 2, 3 (pp. 10, 11)

3 Diego explica a su abuela para qué sirven los objetos que ella no
conoce. Lee las pistas y escribe el nombre del objeto.

1 Es una cosa que se utiliza para dormir en una tienda
de campaña. *— tent tool* .... | saco de dormir |

2 Es un aparato que se usa para escuchar música. .... | MP3 |

3 Es un objeto que sirve para llevar información
y que puedes conectar a tu ordenador. .... | llave USB |

4 Ahora, relaciona cada objeto con la actividad y el lugar donde se
utiliza. Después, explica para qué sirve cada uno.

a   b   c

d   e

b	1 dormir		I en un *camping*
c	2 escuchar		II por el parque
a	3 jugar		III en casa, en la calle...
e	4 pasear		IV en un campo de fútbol
d	5 protegerse		V en la playa, en la calle...

[Ahora tú]

- Elige un objeto del ejercicio 1 y describe brevemente para qué sirve.
  ¿Es grande o pequeño? ¿Dónde se usa?

- Lee tu descripción en clase. Tus compañeros adivinan el nombre
  del objeto.

d

saco de dormir

j

consola

5 Todo cambia

Diego y sus amigos hablan de su vida antes y ahora

tuaulavirtual

PISTA **6**

1 Escucha y lee cómo ha cambiado la vida de estos chicos. Después, relaciona los textos con las imágenes.

1 Antes mis padres decían qué películas podía ver en la tele. Siempre estaba en casa con mi hermana y veíamos películas para niños. A mí no me gustaban, pero a mi hermana sí. Ahora voy al cine con mis amigos y vemos pelis de acción.

2 Antes mi madre nos llevaba al colegio en coche a mi hermana y a mí. Antes no iba sola. Ahora sí. Bueno, con mis amigos del barrio. Vamos todos al mismo instituto y vamos caminando.

3 Antes no hacía *selfies*, tampoco tenía Instagram y no compartía fotos con mis amigos. Ahora hago muchas fotos con el móvil y comparto algunas en mi muro.

4 Cuando era pequeño, quedaba con mis amigos en el parque y montábamos en bici. Ahora, quedamos los fines de semana para patinar y hacer muchas cosas juntos.

2 Observa los verbos en color rojo de los textos anteriores y completa la información.

verbos en -*ar*	
lleva**ban**	llevar
estaba	estar
montabamos	montar
quedaba	quedar
gustaban	gustar

verbos en -*er*	
hacia	hacer
tenia	tener
veíamos	ver
podía	poder

verbos en -*ir*	
decian	decir
compartia	compartir

Iba y *era* son irregulares, ¿sabes su infinitivo?

ir	es

El pretérito imperfecto

 CE. 1, 2, 3, 4 (pp. 12, 13)

3 Lee la información y completa el cuadro.

El pretérito imperfecto se usa para describir acciones y actividades habituales en el pasado.

Las terminaciones de los verbos en:

-ar → -aba, -abas, -aba, -ábamos, -abais, -aban

-er/-ir → -ía, -ías, -ía, -íamos, -íais, -ían

ESTAR	TENER	SALIR
estaba	tenía	....
estabas	tenías	....
estaba	tenía	....
....	....	....
....	....	....
....	....	salían

IR	SER
iba	era
ibas	eras
iba	era
íbamos	éramos
ibais	erais
iban	eran

Conoce a Ricky Martin

4 Completa y descubre algunas curiosidades sobre la infancia de Ricky Martin.

Cuando era pequeño, Ricky Martin (vivir) 1 **vivía** en Puerto Rico y (cantar) 2 **cantaba** en el coro de su colegio. También (trabajar) 3 **trabajaba** como modelo infantil y (participar) 4 **participaba** en obras de teatro escolares.

A los 12 años (cantar) 5 **cantaba** en un grupo musical, (llamarse) 6 le **llamaba** *Menudo.* El grupo (vender) 7 **vendía** muchos discos y (tener) 8 **tenía** actuaciones en diferentes países.

También (actuar) 9 **actuaba** en la serie de televisión *Por Siempre Amigos.*

A Diego no le gustaba...

 CE. 5 (p. 13)

5 A Diego no le gustaban las películas infantiles, a su hermana sí. Escribe tres cosas que (no) te gustaban antes, tu compañero reacciona según la información.

tú	tu compañero
1	
2	
3	

Me gusta el chocolate
☺ A mí también
☹ A mí no

NO me gusta el fútbol
☹ A mí tampoco
☺ A mí sí

[Ahora tú]

Pregunta a tu compañero y toma notas de cómo era su vida de pequeño y cómo es ahora.

Dónde vivía, en qué colegio estudiaba, a qué jugaba, qué programas veía en la TV, qué hacía en vacaciones, etc.

6 Cuando era pequeño

Diego y Andrés están viendo fotos de antes

1 Escucha y marca qué fotos corresponden a Diego (D) y cuáles a Andrés (A).

tuaulavirtual
PISTA 7

De niño...   CE. 1, 2, 3 (pp. 14, 15)

2 Las siguientes expresiones temporales han aparecido en el diálogo anterior.
Con estos elementos, forma frases correctas en pretérito imperfecto.

Expresiones temporales	infinitivos	objetos
1 Antes	a tener	
2 Cuando era pequeño	b gustar	
3 De niño	c ver	
4 En aquella época	d montar	
5 Cuando tenía 5 años	e ir	

Los indefinidos

 CE. 5 (p. 15)

3 Escucha y completa el texto con estas palabras.

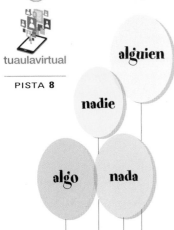

tuaulavirtual

PISTA 8

alguien

nadie

algo   nada

¡Mi cumpleaños era muy divertido!

Mi cumpleaños era el día más divertido del año cuando era pequeño. Siempre venía mucha gente, [nadie] faltaba en ese día tan especial. Mi madre hacía sándwiches, tortilla, zumos... ¡Nunca olvidaba [nada]!

Mis amigos llegaban media hora antes para jugar antes de merendar, pero [alguien] siempre llegaba tarde. Todos traían [algo]: un libro, un videojuego... ¡Me encantaban mis cumpleaños!

4 Lee otra vez el texto anterior y relaciona las columnas.

1 algo — b
2 alguien — a
3 nada — b
4 nadie — a

a se refiere a 0 personas.
b se refiere a 0 objetos, acciones.
c se usa para hablar de una cosa no específica o que no conocemos.
d se usa para hablar de una persona no específica o que no conocemos.

Tablón de anuncios

5 Completa ahora estos anuncios del tablón del instituto con *algo/alguien, nada/nadie*.

Con *conocer* y *buscar* usamos *a* delante de *alguien* y *nadie*:
Busco a alguien para montar en bici.
En las frases negativas, *no* va delante del verbo:
No hay nadie en casa.

¿No haces [nada] este fin de semana? ¡Participa en nuestro taller de fotografía!
taller@fotosportodoslossitios

¿[alguien] se apunta a una tarde zombi? zombi@muertosvivientes.

¿No conoces a [nadie] en el instituto? ¡Tarde de nuevos alumnos! na@tueresunomas

¿Buscas [algo] especial para regalar a un amigo?
¡Entradas para el parque de atracciones! 2 x 1. Contacta 2X1@atraccionparados

[Ahora tú]

Observa esta foto.
¿Puedes describirla?
¿Cuántas personas había?
¿Qué hacían?
¿Dónde estaban?

Repasas
la gramática

Escribe las respuestas en tu cuaderno

El pretérito imperfecto

1 Completa con el pretérito imperfecto y ordena los fragmentos del cuento.

LA CIGARRA Y LA HORMIGA

○ – Amiga hormiga, sé que tienes mucha comida y vengo a pedirte que me prestes un poco para comer este invierno.

– ¿Y tú, qué (hacer) [   ] cuando yo (trabajar) [   ] durante el verano?

– (Descansar) [   ] y (cantar) [   ] sin parar.

○ (Ser) [   ] un caluroso día de verano y una cigarra (cantar) [   ] sin parar debajo de un árbol. No (tener) [   ] ganas de trabajar; solo (querer) [   ] disfrutar del sol y cantar.

○ Pero llegó el invierno, y la cigarra (estar) [   ] en su casa y no (tener) [   ] nada para comer. Entonces, se acordó de la hormiga y fue a llamar a su puerta.

○ Mientras la hormiga (cerrar) [   ] enfadada la puerta de su casa, le (decir) [   ]:

–Si en verano (preferir) [   ] cantar, ahora empieza a trabajar.

Y así, la cigarra aprendió a no reírse de nadie y a esforzarse un poco más.

○ (Pasar) [   ] por allí una hormiga que (llevar) [   ] un grano de trigo muy grande.

La cigarra le dijo:

– ¿A dónde vas con tanto peso? Deja ya de trabajar y aprovecha este caluroso día.

La hormiga (seguir) [   ] con su trabajo sin hacerle caso. Ella (trabajar) [   ] todo el verano y (guardar) [   ] comida para el invierno. Cada vez que la cigarra la (ver) [   ], (reírse) [   ] y le (cantar) [   ] alguna canción.

Adaptado de la fábula de Jean de La Fontaine *La cigarra y la hormiga*

2 Observa las imágenes y escribe frases comparando qué hacía la gente antes y ahora.

a	b	c	d
Antes [ ]	Antes [ ]	Antes [ ]	Antes [ ]
Ahora [ ]	Ahora [ ]	Ahora [ ]	Ahora [ ]

Los pronombres indefinidos

3 **Completa con el pronombre indefinido que corresponde.**

alguien

algo

nadie

nada

1 _____ me ha llamado por teléfono, pero no conozco el número.

2 No hay _____ en el instituto porque es domingo.

3 Busco a _____ para hacer el trabajo de Ciencias.

4 En la nevera no hay _____ de leche.

5 ¿Vas a hacer _____ esta tarde?

6 –¿Quieres tomar _____ ?

–No, no quiero _____ , gracias.

7 Luis es nuevo y no conoce a _____ en el instituto.

4 **Observa las imágenes y escribe una frase sobre cada una utilizando el pronombre indefinido que se indica.**

a nadie

b algo

c nada

d alguien

....

Expresar acuerdo y desacuerdo

5 **Relaciona las columnas y completa con *a mí sí, a mí no, a mí también* y *a mí tampoco*.**

1 Me encanta la comida española.

2 Cuando era pequeño, tomaba yogur de postre.

3 Antes mis padres no me daban paga semanal.

4 No me gusta ni el baloncesto ni el fútbol.

5 De pequeño me encantaba montar en bicicleta.

6 A mi hermana no le gusta ir al colegio.

7 Odio estudiar en vacaciones.

8 Me gusta aprender Español.

Me gusta el chocolate

😊 A mí también

🙁 A mí no

NO me gusta el fútbol

🙁 A mí tampoco

😊 A mí sí

a _____ me gusta, por eso estudio mucho durante el curso.

b _____ , me gustaba más ir en monopatín.

c _____ , siempre tenía dinero para mis gastos.

d _____ me gustaba, siempre tomaba fruta.

e _____ , prefiero el tenis y el atletismo.

f _____ porque se aprenden muchas cosas útiles.

g _____ , me encanta conocer la lengua y la cultura de otros países.

h _____ , la tortilla es mi plato favorito.

Vivir en sociedad

La piratería

Uno de cada tres jóvenes accede a contenidos ilegales

La piratería es una actividad ilegal que afecta a millones de usuarios y cientos de páginas web. Los estudios que ha realizado la Oficina de Propiedad Intelectual de la Unión Europea (EUIPO) con jóvenes de entre 14 y 24 años dicen que uno de cada cuatro jóvenes ha hecho copias ilegales intencionadamente durante el último año. Dos de cada tres alumnos de 5.º de primaria a 2.º de ESO comparten contenidos en Internet y, aunque muchos afirman que la piratería perjudica a muchas personas, el 49,5 % piensa que no perjudica a nadie o solo a algunas personas. Por otro lado, cuando se les pregunta si son capaces de diferenciar los contenidos legales de los pirateados solo un 39,5 % dice que sí; un 38 % afirma diferenciarlos solo a veces y un 22,5 % afirma no distinguirlos nunca.

El valor de contenidos robados y reproducidos ilegalmente en España cada año es de 6.907 millones de euros en películas, 3.131 millones en libros y 5.710 millones en videojuegos.

Los jóvenes deben tener muy claro que este tipo de actuaciones van contra la ley.

1 **Di a quién afecta cada una de las siguientes acciones ilegales.**

1 Fotocopiar libros d i c
2 Descargar películas o series de TV e f
3 Bajar música de Internet a a b
4 Comprar ropa falsificada j h

- **a** músicos
- **b** cantantes
- **c** librerías
- **d** bibliotecas
- **e** actores
- **f** cines
- **g** tiendas de música
- **h** diseñadores
- **i** escritores
- **j** tiendas de moda

2 **En grupos, pensad a qué otros trabajos pueden afectar estas acciones.**

3 **Además de tener precios más baratos, las empresas pueden hacer otras cosas con el dinero que pierden con los actos de piratería. Une cada empresa con la propuesta correspondiente.**

1 cine y TV
2 deporte
3 ropa
4 música
5 libros

- **a** Apoyo a nuevos grupos
- **b** Promoción de jóvenes actores y directores
- **c** Ayudas económicas a deportistas jóvenes
- **d** Diseños con nuevos materiales
- **e** Oportunidades para nuevos escritores

ÁREA de Música

Música de Hispanoamérica y de España

Los países hispanohablantes presentan una gran variedad musical debido a su rica mezcla cultural. Hoy en día, la música cruza fronteras y en cualquier país hispano se puede escuchar todo tipo de canciones, ritmos y sonidos, pero algunos estilos ya se han convertido en un auténtico icono cultural:

1 EL MAMBO

Es un género musical de origen africano desarrollado en Cuba. Fue muy famoso en los años 50. Su nombre significa 'conversación con los dioses'.
Los instrumentos más característicos de este tipo de música son el *saxofón*, el *trombón*, las *maracas* y los *bongos*.

2 EL MARIACHI

Es la representación musical de México más conocida en todo el mundo. Destaca por sus típicas vestimentas y porque siempre se toca en grupo. El *guitarrón*, el *violín* y las *trompetas* son instrumentos fundamentales en cualquier grupo de mariachis.

3 EL MERENGUE

Nace en la República Dominicana y originalmente se interpretaba con una bandurria. Posteriormente se añadieron tres instrumentos que representan a las tres principales culturas que lo componen: el *acordeón* (cultura europea), la *tambora* (influencia africana) y la *güira* (representación indígena).

4 EL TANGO

Este género musical se origina en Buenos Aires. Actualmente es uno de los bailes hispanos más internacionales y un icono de Argentina. Se utilizan diversos instrumentos en su interpretación, pero el *bandoneón* es el más característico y original.

5 EL FLAMENCO

Es un estilo musical propio del sur de España. Tiene influencias de diferentes culturas (musulmanes, gitanos, castellanos, judíos…). Es conocido por su cante, su baile y sus típicos trajes. La *guitarra* y el *cajón* son sus dos instrumentos tradicionales.

1 Relaciona cada instrumento con el género musical adecuado.

tuaulavirtual

PISTA **9**

2 Escucha estos fragmentos de música y relaciona cada uno con un estilo.

1	Mambo	1	2	3	4	5
2	Mariachi	1	2	3	4	5
3	Flamenco	1	2	3	4	5
4	Merengue	1	2	3	4	5
5	Tango	1	2	3	4	5

3 ¿Existe algún género musical propio de tu país? ¿Conoces su origen? ¿Qué instrumentos musicales utiliza?

Córdoba, la ciudad de las tres culturas

Los tres están inquietos y aburridos después de su aventura. Los tíos les preguntan:

–¡Vaya, hombre! ¿Qué os pasa? ¿No queréis pasar unos días tranquilos contemplando el paisaje y oyendo a los pájaros?

–Tíoooo, aquí no hay nada que hacer…

–Tengo una idea –propone la tía–, vais a ir al Ayuntamiento, allí hay anuncios de excursiones.

–¡¿Una excursión en grupo?! ¡Qué rollo! –exclama Rocío.

–Sí, pero es una ocasión para movernos –dice Andrés.

–Y también podemos separarnos del grupo… –añade Juan.

La responsable de actividades culturales en el Ayuntamiento les informa. Hay un viaje muy bonito. Lo organiza la Consejería de Cultura de la Junta de Andalucía. En un plano les enseña el recorrido: van a visitar Córdoba, Sevilla y Granada.

– ¡Qué bien! –dice Andrés–, no conocemos ninguna.

En el tablón de anuncios, Juan ha leído una noticia interesante y los llama.

–Mirad, hay un concurso durante el viaje. ¡Y es un juego de pistas por grupos!

–¡Guau! ¡Se llama «Los enigmas del número 3 en al-Ándalus»! –lee Rocío.

–¡Qué chulo! –exclama Andrés–, hay un premio para el grupo que soluciona los enigmas.

–No está mal. Primero, porque hacemos el juego juntos y luego porque vamos a ganar un premio… ¡como siempre! –dice Rocío con alegría.

–Pues ya está, nos inscribimos, viajamos y ¡viva la aventura! –exclama Juan.

La víspera de la salida los chicos reciben de la Junta de Andalucía un paquete. Dentro hay un maletín con muchas cosas. Rocío lo abre:

–¡Anda, un cuaderno con nuestros nombres!

–Tenemos que encontrar muchas respuestas –dice Andrés pasando las páginas.

–Aquí hay una botellita de aceite. Aceite para una excursión. ¡Qué raro!

–Déjalo, Rocío, vamos a seguir buscando en el maletín –dice Juan.

–¡Oye! También hay un escudo de España. ¡Y dos coronas de reyes!

–Hay que hacer fotos de todo lo que encontramos –dice Andrés–. Y ponerlas en el cuaderno.

–Pero ¿cuáles son «los enigmas del número 3»? –pregunta Juan.

–Pues mira:

   3 ciudades, 3 personajes, 3 tumbas, 3 frutas, 3 religiones, 3 culturas.

–El primer enigma ya está solucionado, apunta: Córdoba, Sevilla y Granada.

–¡Huy, qué lista eres! –dice Juan en broma.

–¡Qué bien! Para cada cosa nos dan pistas. Vamos a resolver todos los enigmas –afirma Andrés con seguridad.

Esa noche no pueden dormir. Quieren empezar ya el viaje. Al fin se quedan dormidos, pero los tres sueñan con las pistas y con los enigmas.

1 Responde verdadero o falso a las siguientes afirmaciones.

☐ A los chicos les encantan las excursiones en grupo.

☐ En el Ayuntamiento les informan de tres excursiones, a Sevilla, a Córdoba y a Granada.

☐ Durante el viaje se realiza un concurso resolviendo misterios.

☐ Los chicos deciden no participar en el viaje ni en el concurso.

☐ Para ganar el premio tienen que resolver seis misterios.

2 Convierte las falsas en verdaderas.

3 De los siguientes objetos, ¿cuáles están en el paquete que reciben los chicos?

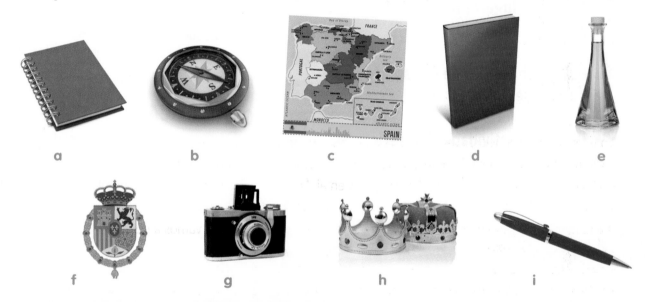

a   b   c   d   e

f   g   h   i

PROYECTO final

En grupos:

- Elegid una de las tres ciudades y buscad información sobre cómo son en la actualidad.
- Buscad también información sobre cómo eran en la época de al-Ándalus.
- Haced una presentación mostrando los cambios más significativos de las ciudades.

3 ¿Dónde has estado?

Objetivos

1 Decir qué lugares has visitado y qué has hecho allí

2 Hablar de medios de transporte y alojamientos

3 Hablar de actividades sin decir el momento concreto

▶ **LÉXICO**

✓ Los medios de transporte
✓ Los alojamientos
✓ Las actividades culturales y de tiempo libre

▶ **COMUNICACIÓN**

✓ Cuentas qué hiciste en un viaje
✓ Expresas tus gustos sobre alojamientos
✓ Dices qué medios de transporte utilizas

▶ **GRAMÁTICA**

● El contraste entre el pretérito perfecto simple y el pretérito perfecto compuesto
● Las expresiones temporales de los tiempos del pasado
● Los usos de *ya*, *todavía* (*no*), *nunca*

Vivir en sociedad

❖ **Viajes con el instituto**

ÁREA de Historia

❖ Antiguas civilizaciones de España e Hispanoamérica

MAGACÍN de lectura

❖ Aventuras para 3: *Misterio en Chichén Itzá*
❖ Proyecto final

LOS MEDIOS DE TRANSPORTE

1 Relaciona cada imagen con el medio de transporte adecuado.

1

2

3

4

☐

☐

☐

☐

LOS ALOJAMIENTOS

2 ¿Qué alojamiento prefieres en vacaciones? Márcalo.

1   el hotel   ☐   2   el *camping*   ☐   3   el albergue   ☐

LAS ACTIVIDADES CULTURALES   Y DE TIEMPO LIBRE

3 Relaciona cada lugar con la actividad que puedes hacer allí.

a

b

1   Visitar una exposición   ☐
2   Hacer rutas en bicicleta   ☐
3   Ver monumentos   ☐
4   Practicar deportes de aventura   ☐

Prefiero viajar en tren

Anna y sus compañeros hablan de medios de transporte

1 el coche

☐ Anna

2 el avión

5 Roberto

4 Juan

2 ✎ María

6 Pedro

3 el metro

4 la bici

3 Inés

7 Irene

5 el autocar

6 el barco

7 el tren

Los medios de transporte

CE. 1, 2 (pp. 16, 17)

tuaulavirtual
PISTA 10

1 Escucha los comentarios de estos alumnos y relaciona cada uno con el medio de transporte adecuado.

2 Escribe el nombre de los medios de transporte anteriores según tu frecuencia de uso.

1 ☐   5 ☐
2 ☐   6 ☐
3 ☐   7 ☐
4 ☐

3 Elige tres medios de transporte y explica para qué los utilizas.

Yo tomo el metro para ir al instituto.

> **Para** se usa cuando queremos hablar de la finalidad.

Los alojamientos

CE. 3 (p. 17)

4 Escribe el nombre del alojamiento debajo de la foto adecuada.

el hotel   el *camping*   el albergue   la casa rural

5 Qué alojamiento eliges si vas...

a de viaje de fin de curso ☐
b con tu familia al campo ☐
c de viaje de aventuras ☐
d a visitar una ciudad ☐

Las actividades de recreo

CE. 4 (p. 17)

6 Relaciona las columnas y termina las frases.

En los viajes puedes...

1 asistir a ○   ○ a excursión
2 hacer ○   ○ b deportes
3 ir de ○   ○ c fotos
4 practicar ○   ○ d un museo
5 ver ○   ○ e un musical
6 visitar ○   ○ f una película en el cine

ALOJAMIENTOS

1 *el camping*

2 *la casa rural*

3 *el hotel*

4 *el albergue*

[Ahora tú]

- Pregunta a cuatro compañeros qué medios de transporte usan cuando viajan, dónde prefieren alojarse y qué les gusta hacer en sus viajes.

- Después, elabora una estadística y explica en clase cuáles son los transportes, alojamientos y actividades más habituales en los viajes.

Mis viajes a España

Anna comparte su experiencia en España

1 Lee lo que escribe Anna en el blog del instituto y marca si son verdaderas o falsas las afirmaciones que hace.

El rincón del viajero
por Anna Garrido

Hace 3 años estuve en España por primera vez. ¡Me acuerdo de todo porque lo pasé genial!

En aquella ocasión viajé en avión con mis tíos y mis primos. Llegamos a Madrid al aeropuerto Adolfo Suárez Madrid Barajas. ¡Es enorme! ¡Dentro del aeropuerto puedes tomar el metro o el tren para ir al centro de la ciudad! Aquel fin de semana mis tíos nos llevaron al musical del Rey León en una de las calles más famosas de Madrid, la Gran Vía. También estuvimos en la Puerta del Sol, en la plaza Mayor y, ¡claro!, en el parque de atracciones. ¡Fue la bomba!

Este año he viajado allí por segunda vez, también he ido en avión, pero a Barcelona. He ido con mis compañeros y profesores del instituto. Me ha gustado mucho, especialmente las visitas que hemos hecho por el centro histórico: hemos visto edificios muy chulos y he hecho muchas fotos de la Sagrada Familia (una construcción de estilo moderno de un famoso arquitecto, Gaudí) y del Parque Güell, también de Gaudí. También hemos ido al puerto y hemos estado unas horas en la playa. Ha sido fantástico.

Estoy supercansada porque esta semana hemos caminado mucho. Además, regresamos ayer y hoy he tenido clase. Pero lo he pasado genial. ¿Cuándo volvemos?

Puerta del Sol (Madrid)

Plaza Mayor (Madrid)

Parque Güell (Barcelona)

Sagrada Familia (Barcelona)

1 Ha visitado España en tres ocasiones.   F
2 En el aeropuerto de Madrid hay una estación de metro.   V
3 En uno de los viajes, ha visitado un famoso parque.   F
4 Se ha bañado en el mar.   F

El pretérito perfecto simple
y el pretérito perfecto compuesto

 CE. 1, 2, 3, 4 (pp. 18, 19)

2 Lee de nuevo el texto de Anna y completa la información.
Después, escribe las expresiones temporales en el lugar adecuado.

Según el texto de Anna…

El ⟨pretérito perfecto simple⟩ se usa para hablar de acciones pasadas puntuales y acabadas.

pasado   presente   futuro

X

Acción puntual en el pasado.

El ⟨PP compuesto⟩ se usa para hablar de acciones pasadas recientes o relacionadas con el presente.

pasado   presente   futuro

X

Acción en el pasado conectada con el presente.

Expresiones temporales

1 ⟨Hace 3 años⟩ estuve en España.
2 ⟨en aquella ocasión⟩ viajé en avión.
3 ⟨aquel fin de semana⟩ mis tíos nos llevaron a un musical.
4 Regresamos ⟨ayer⟩.

1 ⟨este año⟩ he viajado allí por segunda vez.
2 ⟨esta semana⟩ hemos caminado mucho.
3 ⟨hoy⟩ he tenido clase.

3 Completa lo que dicen los compañeros de Anna con el tiempo verbal adecuado.

Esta tarde el profesor (decir, a nosotros) ⟨nos ha dicho⟩ que en 1882 Gaudí (empezar) ⟨empezó⟩ a construir la Sagrada Familia, pero todavía no la (acabar) ⟨acabado⟩. ¡¡No me lo creo!!

Ayer, en Barcelona (probar, nosotros) ⟨probamos⟩ la crema catalana, es un postre muy famoso.
Hoy (comer, nosotros) ⟨hemos comido⟩ calçots y (gustar, a mí) ⟨me ha gustado⟩ mucho.

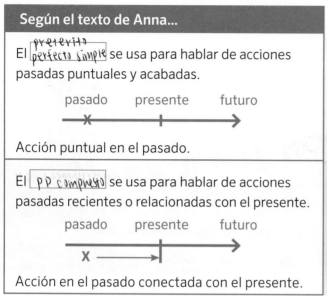

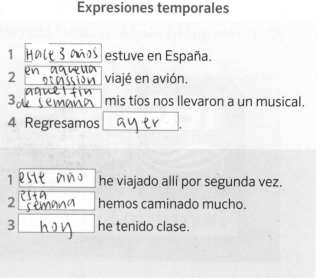

Hace tres años (estar, yo) ⟨estuve⟩ en Sevilla, el pasado febrero (ir) ⟨estaba⟩ a Bilbao y esta semana… ¿sabéis dónde (estar) ⟨ha estado⟩?

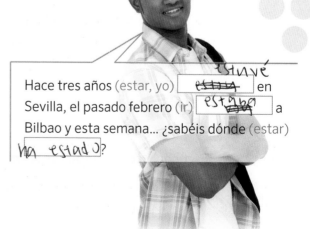

[Ahora tú]

¿Qué países o ciudades has visitado? ¿Cuántas veces?
¿Cuándo fue la última vez que estuviste de viaje?
¿Cómo fuiste? ¿Qué hiciste?

9 Ya conozco Salamanca

El profesor organiza una salida con la clase

1 Lee la encuesta que ha colgado el profesor en el blog de clase.
¿Qué crees que ha elegido la clase? Márcalo.

IEG
INSTITUTO EL GRECO

	CLASE	TÚ
1 ¿Qué tipo de salida prefieres?		
a Pasar un fin de semana en una ciudad	☐	☐
b Conocer un parque natural como Cabárceno	☐	☐
c Ir a una ciudad con mar	☐	☐
2 Elige dos actividades que quieres hacer		
a Visitar museos	☐	☐
b Ver exposiciones	☐	☐
c Asistir a un concierto	☐	☐
d Hacer senderismo	☐	☐
e Ir a la playa	☐	☐
f Ver animales	☐	☐
3 Prefieres viajar en		
a Autocar	☐	☐
b Tren	☐	☐
c Avión	☐	☐

2 Escucha y comprueba tus respuestas.

tuaulavirtual
PISTA **11**

3 Ahora, marca en la encuesta tus opciones preferidas. ¿Coinciden con las de la clase?

Ya/todavía no/nunca  CE. 2 (p. 20)

4 Ahora, lee el diálogo y relaciona las columnas.

Luis ¡Qué bien! Al final vamos a Salamanca. Yo ya la conozco. Es una ciudad Patrimonio de la Humanidad. ¿Y vosotros? ¿Habéis estado allí alguna vez?

Juan Yo no. Nunca he estado allí.

María Yo sí. Estuve hace dos años con mis padres. ¡Me gustó mucho! Aquella vez fuimos en coche, pero esta vez vamos en tren. ¡Me encanta viajar en tren!

Juan ¿Y qué hicisteis? ¡Nunca he estado en una ciudad Patrimonio de la Humanidad! ¿Ya conoces todos los lugares interesantes?

María No, todavía no. Aquella vez no tuvimos mucho tiempo. Por ejemplo, no vimos el museo Casa Lis, pero ahora está en el programa.

Luis Síííí, ¡y también vamos a un concierto en el Palacio de Congresos!

María Cuando fui con mis padres, vimos la plaza Mayor, entramos en la catedral y subimos a las torres. Después, dimos un paseo por el centro de la ciudad.

Juan ¡Qué bien! Salamanca parece una ciudad muy interesante.

Usamos...	para hablar de...
1 Yo ya la conozco. ○	○ **a** Acciones no realizadas que se van a realizar pronto.
2 Nunca he estado en una ciudad... ○	○ **b** Acciones no realizadas y que no sabemos si se realizarán.
3 Todavía no. ○	
4 ¿Ya conoces todos los lugares...? ○	○ **c** Preguntar si una acción está o no realizada.
	○ **d** Acción realizada.

5 Ahora, completa con *ya/todavía no/nunca*.

1 –¿[   ] has comprado las entradas? El concierto es el sábado.

–[   ] las he comprado, ¡voy a comprarlas esta tarde!

2 [   ] he estado en Mallorca, pero voy a ir en verano.

3 Este sábado no puedo quedar, [   ] hemos empezado los exámenes y tengo que estudiar.

4 [   ] podemos comer, ¡las *pizzas* están preparadas!

¡Ya tenemos fechas!

tuaulavirtual

PISTA **12**

6 Escucha el mensaje de audio del profesor y marca qué cosas del viaje ya están hechas y qué cosas todavía no.

	ya	todavía no
1 Fechas	☐	☐
2 Precio	☐	☐
3 Actividades	☐	☐
4 Alojamiento	☐	☐
5 Transporte	☐	☐

[Ahora tú]

- Piensa en tu semana y comenta en clase qué cosas ya/todavía no has hecho.
- Explica en clase tres cosas que no has hecho nunca y quieres hacer.

Repasas
la gramática

Escribe las respuestas en tu cuaderno

El pretérito perfecto compuesto

1 Observa las imágenes y escribe qué han hecho hoy.

1 (ella) ....

2 (tú) ....

3 (nosotros) ....

4 (vosotros) ....

5 (ellos) ....

6 (yo) ....

El pretérito perfecto simple

2 Completa las frases con el verbo más adecuado.

| ver | poder | quedarse | ir | ser | nacer | venir |

1 _____ por primera vez a un país extranjero el año pasado.

2 En 2010 España _____ campeona del mundo de fútbol.

3 Hace tres años _____ mi hermana pequeña.

4 El domingo pasado mis abuelos _____ a comer a casa.

5 El fin de semana pasado _____ una película de acción.

6 Ayer no (yo) _____ enviarte un SMS, _____ sin batería en el móvil.

Pretérito perfecto compuesto o pretérito perfecto simple

3 Completa los datos de estos hispanos famosos en el tiempo del pasado adecuado y di a quién corresponde cada uno.

1 (Nacer) [   ] el 2 de febrero de 1977 en Barranquilla, Colombia. .... [ ]

2 (Ganar) [   ] con su equipo todos los títulos nacionales e internacionales. .... [ ]

3 Hasta ahora, es el deportista español que más tiempo (estar) [   ] como número uno

en una clasificación mundial. .... [ ]

4 En 2004, con 17 años, (jugar) [   ] su primer partido oficial en la primera división española. .... [ ]

5 En 2011 (recibir) [   ] una estrella en el Paseo de la Fama de Hollywood. .... [ ]

6 En 2016 (ser) [   ] representante de la delegación española en los JJ.OO. de Río de Janeiro. .... [ ]

Las expresiones de tiempo

4 Fíjate en las expresiones de tiempo y completa con el tiempo del pasado adecuado.

1 La semana pasada (tener, nosotros) [   ] un examen de Matemáticas.

2 Este mes (ir, vosotros) [   ] al cine dos veces.

3 Hoy Ana (quedarse) [   ] dormida y (llegar) [   ] tarde a clase.

4 El sábado pasado (hacer, nosotros) [   ] el trabajo de Ciencias Naturales.

5 Ayer por la tarde (ir, nosotros) [   ] juntos a la hamburguesería.

6 Ayer Marina y Eduardo (ver) [   ] a Juan en el centro comercial.

7 España (ser) [   ] campeona del mundo de fútbol en el año 2010.

8 ¿(Estar, tú) [   ] alguna vez en Buenos Aires?

5 Completa con *ya / todavía no / nunca*.

1 [   ] he tenido tiempo de hacer los deberes.

2 [   ] se ha despertado y sus padres llegan ahora.

3 La profesora de Lengua [   ] nos ha dicho la nota. He aprobado.

4 ¿[   ] has probado la paella?

5 [   ] conozco Barcelona, pero voy a ir con mis padres este verano.

6 [   ] he comido pescado crudo.

Vivir en sociedad

Viajes con el instituto

1 ¿Alguna vez has hecho un viaje con el colegio o con el instituto?
¿Recuerdas qué normas de comportamiento había?

2 Ahora, lee esta guía de comportamiento y decide si son normas para el hotel (H),
para el tiempo libre (T) o para las visitas (V).

VIAJE DE FIN DE CURSO

Guía de comportamiento

Los viajes de estudios sirven para la formación general de los alumnos al conocer otras ciudades y culturas y para fomentar la convivencia y la relación entre compañeros.

Para vivir una experiencia agradable y enriquecedora debemos respetar unas normas elementales:

1. Hay que llevar siempre el nombre, la dirección del hotel y el teléfono de contacto de los profesores. .... ☐

2. Los profesores deben saber siempre a dónde vais, quiénes vais y cuándo vais a volver. .... ☐

3. Es importante respetar los lugares de culto (catedrales, mezquitas, etc.) y no hacer fotos en lugares que está prohibido. .... ☐

4. Hay que respetar las horas de silencio. Si llegamos tarde o nos levantamos temprano, no podemos hablar alto ni hacer ruido. .... ☐

5. Los monumentos son para admirarlos, no para jugar o subirse a ellos. .... ☐

6. Es importante pensar en el medio ambiente. Hay que apagar las luces al salir de la habitación. ☐

7. Por la noche, debemos estar en el hotel a la hora fijada por los profesores. .... ☐

8. Por seguridad, debemos ir en grupo (mínimo 2 o 3 personas). .... ☐

9. No estamos solos, no debemos molestar a los otros visitantes o clientes del hotel. ...... ☐

10. Tenemos que ser educados: no correr por los pasillos, no poner la televisión muy alta, etc. ☐

Fdo. El director

CENTRO EDUCATIVO IEG EL GRECO

3 En grupos, elegid una de estas situaciones y elaborad un decálogo como el anterior.

1 Parque de atracciones

2 Museo

3 Instituto

ANTIGUAS CIVILIZACIONES

1 Infórmate sobre algunas de las antiguas civilizaciones de América del Sur.

1 Los incas

Su imperio se extendió entre los siglos XII y XVI desde la actual Colombia hasta el norte de Chile y Argentina. La capital fue Cuzco (Perú). En una de las montañas cercanas a este lugar se encuentra Machu Picchu, una ciudad que es el mayor icono de la cultura inca.

2 Los mayas

Ocuparon una extensión de más de 400.000 km (sur de México, Guatemala, Honduras y El Salvador). Tuvieron una larga historia, desde el año 2000 a.C. hasta finales del siglo XVII. Fue una sociedad muy avanzada, hablaron de eclipses y crearon calendarios.
El Templo de Kukulkán en la ciudad maya de Chichén Itzá (México) es uno de los principales monumentos mayas de la actualidad.

3 Los aztecas

Su capital fue Tenochtitlán en el norte del actual México. Tuvieron conocimientos de astronomía, medicina y escritura. La religión fue una parte importante de su vida y Quetzacóatl, una especie de serpiente con plumas, fue su dios más importante. Esta figura aparece con frecuencia representada en sus monumentos.

2 Ahora, señala en el mapa qué zona corresponde a cada civilización.

3 ¿Con qué culturas identificas estas imágenes? Relaciona cada una con su nombre y con la civilización a la que pertenece.

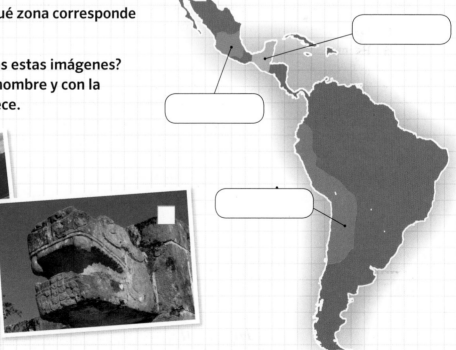

4 ¿Conoces alguna de las antiguas civilizaciones que poblaron tu país? ¿Se conserva algún monumento representativo? Escribe un breve texto y compártelo en clase.

La ciudad sagrada de los itzáes

El 22 de marzo empieza la primavera y el camión (el autobús) con el grupo va dirección a Chichén Itzá. Está muy cerca, a 40 Km. Salen de Valladolid a primera hora de la mañana. Van a estar todo el día en el conjunto arqueológico.

Andrés está sentado al lado de César, un chico mexicano de su edad. Los dos hablan mucho sobre México y su cultura.

—Andrés, ¿por qué es tan importante para ustedes Chichén Itzá?

—Pues porque es una de las nuevas maravillas del mundo, César. Está en la nueva lista.

—¡Me gusta cómo pronuncian ustedes mi nombre!

—Claro, porque en Hispanoamérica «seseáis» y decís «Sésar». Pero a mí también me gusta mucho cómo lo pronunciáis vosotros.

—¿Por qué dices la «nueva lista»?

—Porque con una encuesta han preguntado a millones de personas cuáles eran las nuevas maravillas del mundo. Y las personas han respondido por móvil y por ordenador.

—Acá decimos «celular» y «computadora» —explica César.

—¡Más palabras nuevas! —dice Andrés y escribe las palabras para no olvidarlas.

—¿Y qué lugares ganaron? —pregunta César.

—Pues justamente Chichén Itzá.

—¿Y otros más?

—Machu Picchu en Perú, la Gran Muralla China, el Coliseo de Roma…

—¿Ustedes saben jugar a *águila* o *sol*?

Andrés le responde que no y César le explica cómo es el juego.

—Hay que pensar en algo, por ejemplo, en si vamos a ver otra maravilla. Si sale «águila», vamos a verla. Si sale «sol», no.

—¡Ah! Es como el juego de *cara o cruz* en España —dice Andrés.

—¡A jugar! —exclama Juan, y todo el camión sigue el juego.

Sale «águila».

—¡Padrísimo! —grita César muy contento.

Los profesores piden un poco de silencio. Antes de llegar a Chichén Itzá quieren explicar a los chicos lo que van a ver y lo que pueden hacer.

Chichén Itzá significa «La boca del pozo de los brujos del agua»: Chi ('boca'), Chén ('pozo'), Itzá ('brujos del agua').

Kukulkán significa «serpiente emplumada». Es el mismo dios maya que el azteca Quetzalcóatl.

El Castillo o Templo de Kukulkán es una pirámide de nueve niveles de 24 metros de altura. Cada lado del templo tiene 91 escalones. Los escalones de cada lado más la base del templo representan los 365 días del año.

Hay muchos otros edificios en este conjunto. Uno muy importante es el Observatorio de El Caracol.
Los mayas sabían mucho de astronomía. Por ejemplo, cuándo empezaban las estaciones del año.
Por eso ahora no van a ver el descenso de Kukulkán en el equinoccio de primavera.

El Templo de los Guerreros y de las 1000 columnas o el Juego de Pelota son también lugares interesantes.
El Cenote Sagrado es un lugar lleno de misterio.

1 Relaciona los elementos de las columnas.

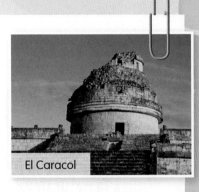

El Caracol

1	César	a	Ordenador
2	Celular	b	Ciudad sagrada de los mayas
3	Chichén Itzá	c	Compañero de viaje de los chicos
4	Templo de Kukulkán	d	Juego típico en México
5	Computadora	e	Teléfono móvil
6	Águila o sol	f	Observatorio astronómico
7	El Caracol	g	Un edificio dentro del conjunto arqueológico

2 Responde a las siguientes preguntas sobre el texto.

Templo de las 1000 columnas

1 ¿Dónde empieza el viaje? ¿A dónde se dirigen? ¿A qué hora?
2 ¿Por qué les gusta tanto la visita a Chichén Itzá?
3 ¿Cómo se hizo la elección de las nuevas maravillas del mundo?
4 ¿Cómo es el Templo de Kukulkán?
5 ¿Qué otros edificios forman el conjunto además de El Castillo?

Cenote sagrado

PROYECTO final

En grupos:

• Buscad información sobre la nueva lista de las siete maravillas del mundo.

• Elegid una y haced una ficha de viaje: dónde está, tipo de maravilla, años de antigüedad, etc.

• Presentad el resultado en clase. Podéis añadir vídeos, fotos, etc.

¡Gana la presentación más completa y más original!

4 El mundo del mañana

Objetivos

1 Describir actividades en la naturaleza

2 Hablar sobre acontecimientos en el futuro

3 Hablar de problemas medioambientales

▶ LÉXICO

✓ Los accidentes geográficos
✓ Las actividades en la naturaleza
✓ El medio ambiente

▶ COMUNICACIÓN

✓ Hablas de actividades en la naturaleza
✓ Describes la vida en el futuro
✓ Hablas del medio ambiente

▶ GRAMÁTICA

● El futuro: verbos regulares e irregulares
● El uso de *buen*/*bueno*, *mal*/*malo*
● La frase condicional: *Si* + presente, futuro

Vivir en sociedad

❖ Reciclar

ÁREA de Ciencias de la Naturaleza

❖ Especies en peligro de extinción

MAGACÍN de lectura

❖ Aventuras para 3: *Misión en La Pampa*
❖ Proyecto final

LOS ACCIDENTES GEOGRÁFICOS

1 Escucha a Alicia y ordena cada una de las imágenes.

tuaulavirtual
PISTA **13**

Sierra de Guadarrama

Valle del Jerte

Volcán Teide

Cuevas del Drach

Archipiélago de
las Baleares

Desierto de Tabernas

LAS ACTIVIDADES EN LA NATURALEZA

2 Relaciona los planes de Alicia con las imágenes adecuadas.

Las próximas vacaciones mi familia y yo vamos a viajar a la isla Cozumel (México) (1). Allí vamos a bucear (2) y a montar en barco (3) para conocer la isla. Mi hermana y yo vamos a hacer una visita guiada al acuario (4) y también un curso de surf (5).

EL MEDIO AMBIENTE

3 Relaciona cada contenedor con su uso.

1 Materia orgánica a

2 Plásticos y envases

3 Papel y cartón

4 Vidrio

a   b   c   d

¡Cuántos viajes!

Alicia recuerda sus viajes

●●○○ 1

👤 alicia

♥ 70 me gusta

alicia Colaborando como voluntaria en una ☐ de Galicia.

🏠 ✦ 📷 💬 👤

●●○○ 2

👤 alicia

♥ 25 me gusta

alicia Visita guiada por las ☐ del Drach en Mallorca (Islas Baleares).

🏠 ✦ 📷 💬 👤

●●○○ 3

👤 alicia

♥ 75 me gusta

alicia Esquí durante las vacaciones de Navidad en el ☐ de Benasque, en Cerler, Huesca.

🏠 ✦ 📷 💬 👤

●●○○ 4

👤 alicia

♥ 65 me gusta

alicia Primer viaje al extranjero con mi familia en México, en la ☐ del Carmen.

🏠 ✦ 📷 💬 👤

●●○○ 5

👤 alicia

♥ 25 me gusta

alicia De acampada con amigos en la ☐ de Guadarrama en Madrid.

🏠 ✦ 📷 💬 👤

●●○○ 6

👤 alicia

♥ 78 me gusta

alicia Paseo en barco por el ☐ de las Islas Baleares.

🏠 ✦ 📷 💬 👤

Los accidentes geográficos CE. 1 (p. 22)

1 Completa los comentarios del álbum de fotos de Alicia con estas palabras.

> costa   playa   cuevas   archipiélago   sierra   valle

2 Ahora, termina cada comentario con una de estas frases.

a Quince días disfrutando del calor en el Caribe. ....◻

b Una semana limpiando y conociendo a mucha gente solidaria.....◻

c Superinteresante conocer el origen de las formaciones rocosas. ....◻

d Una semana con frío y nieve, pero haciendo deporte. ....◻

e Visitamos diferentes islas y estuvimos en muchas playas. ....◻

f ¡Un fin de semana perfecto en la montaña respirando aire puro! ....◻

Las actividades en la naturaleza CE. 2 (p. 23)

3 Relaciona cada imagen con el lugar donde se puede realizar.

1 Visitar un acuario ◻   4 Bucear ◻

2 Acampar ◻   5 Ir de pesca ◻

3 Hacer senderismo ◻   6 Practicar deporte ◻

4 Escucha qué dice Alicia sobre sus amigos y completa la información, como en el ejemplo.

tuaulavirtual
PISTA 14

	Belén	Óscar	Ana	Javier
Actividad	montar en bici			
Lugar	la sierra			

El medio ambiente CE. 3 (p. 23)

5 Indica en qué contenedor depositas estos objetos.

a ◻   b ◻   c ◻   d ◻   e ◻   f ◻

1   2   3   4

[**Ahora tú**]

Elige una imagen de la página anterior, describe el lugar y los elementos que aparecen y di qué actividades puedes realizar.

Planes de futuro

Alicia y sus amigos tienen planes

1 Infórmate sobre los planes de Alicia y sus amigos y, después, marca la opción correcta.

Alicia, tu hermano Carlos está en clase. Volverá a casa en autobús, después iréis juntos al curso de natación. Un beso grande, mamá

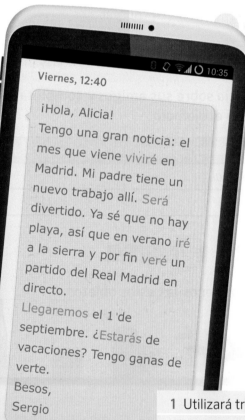

Viernes, 12:40

¡Hola, Alicia!

Tengo una gran noticia: el mes que viene viviré en Madrid. Mi padre tiene un nuevo trabajo allí. Será divertido. Ya sé que no hay playa, así que en verano iré a la sierra y por fin veré un partido del Real Madrid en directo.

Llegaremos el 1 de septiembre. ¿Estarás de vacaciones? Tengo ganas de verte.

Besos,
Sergio

Nuria
¡Hola, Alicia! ¿Tienes plan para el próximo fin de semana?

Alicia
Hola 👐
El sábado estudiaré para el examen de Ciencias 🧑📖 ¿Quedamos el domingo?

Nuria
El domingo por la mañana mi padre y yo iremos a pescar 🏞️

Alicia
¿Nos vemos por la tarde?

Nuria
Vale. ¿Vamos al centro comercial?

Alicia
¡Perfecto! ¿Vamos juntas? Yo iré en el bus de las 17:10.

Nuria
Mis padres me llevarán en coche.

Alicia
¡Entonces nos vemos allí! 👍👍

Nuria
¡Hasta el domingo! 😗

	Nuria	Alicia	Carlos	Sergio
1 Utilizará transporte público		√	√	
2 Irá en coche	√			
3 Piensa ir al río	√			
4 No irá a la playa				√
5 Su padre trabajará en otra ciudad				√
6 Estudiará el fin de semana		√		
7 Practicará deporte			√	

El futuro regular  CE. 1, 2 (p. 24)

2 Lee de nuevo los textos anteriores y completa con las formas del futuro.

Infinitivo		Futuro
yo	estudiar	estudiar **é**
tú	estar	estar **ás**
Ud., él, ella	volver	volver **á**
nosotros/as	llegar	llegar **emos**
vosotros/as	ir	ir **éis**
Uds., ellos/as	llevar	llevar **án**

Las expresiones temporales  CE. 3 (p. 25)

3 Subraya en los textos del ejercicio 1 todas las expresiones temporales que van con futuro.

4 Ahora, completa con el verbo adecuado en futuro.

| ver | encantar | viajar | ir | conocer | visitar | pasar | entrar |

Nina Peter, ¿1. [   ] a la excursión el próximo sábado?
Visitar Toledo parece un buen plan.

Peter Sííí. He visto la información que hay en el tablón. Además,
2. [   ] todos juntos en autocar y 3. [   ] a
muchos estudiantes de la escuela.

Nina Yo ya he estado allí, pero era muy pequeño. ¡Me 4. [encantará] caminar otra vez por las calles estrechas!

Peter Según el programa 5. [   ] la catedral y 6. [veremos] el cuadro de un famoso pintor de Toledo, el Greco. Luego, tenemos tiempo libre para comer.

Nina ¿Qué tal una pizzería?

Peter Ese no es un plan malo. ¡Me apunto! Después, a las 17:00, 7. [   ] en una sinagoga.

Nina ¿Sí? Nunca he estado en una sinagoga.

Peter A ver si no hace mal tiempo... Mi móvil dice: «Sol, sol, sol».

Nina ¡Qué bien! 8. [pasaremos] un día bueno en Toledo.

Buen/bueno, mal/malo  CE. 4 (p. 25)

5 Localiza en el diálogo anterior los adjetivos *buen/bueno* y *mal/malo* y completa la regla.

> **Regla**
> - Delante de nombre masculino se usa [   ] y [   ].
> - Detrás de nombre masculino se usa [   ] y [   ].
> - Si el nombre es femenino singular, siempre se usa *buena/mala*.

6 Ahora, elige la opción correcta.

1 Belén tiene un plan *buen/bueno* para el fin de semana.
2 Messi es un *buen/bueno* jugador de fútbol.
3 Hoy Juan tiene un *mal/malo* día. Ha suspendido un examen.
4 Mi hermano siempre me ayuda, es un chico muy *buen/bueno*.
5 Tener un *buen/bueno* amigo es como tener un tesoro.
6 En algunas zonas del norte hace *mal/malo* tiempo y llueve mucho.

> **[Ahora tú]**
> ¿Dónde irás y qué harás en tus próximas vacaciones?

12 Ecología y medio ambiente

(handwritten notes)
→ solucion energia
→ turbina = turbine
→ contaminacion acustica

Alicia lee el boletín del instituto

1 Escucha y lee la información de la sección de ecología del boletín. Después, relaciona cada imagen con la información adecuada.

tuaulavirtual
PISTA 15

(handwritten notes)
animales en peligro de extincion
→ eg. delfines (中華白海豚)
→ aumento de la temperatura
→ calentamiento global
→ deshielo
→ contaminacion del agua

Boletín Juvenil Cultural

n. 17 → deforestacion
→ sequia /dessertificacion

(handwritten) → contaminacion del aire

Sección: Ecología

¡El mundo que vendrá!

En la actualidad, no cuidamos suficientemente nuestro planeta. Esto significa que en el futuro aparecerán muchos problemas:

[6] Habrá más contaminación porque seguiremos utilizando energías no renovables, como el petróleo.

[1] Tendremos menos especies de animales porque al destruir o cambiar su hábitat muchos desaparecerán.

[3] Querremos bañarnos en playas limpias, pero no reciclamos suficiente. En el futuro estos lugares estarán contaminados.

[5] Muchos lagos y ríos se secarán a causa del cambio climático y no podremos bañarnos en ellos ni beber su agua.

[4] Saldremos de excursión, pero no caminaremos por nuevos bosques, no existirán.

[2] La temperatura aumentará 6 ºC en 2050 y el hielo de los polos desaparecerá poco a poco.

¡Ahora es el momento de empezar a cuidar la Tierra, un pequeño gesto de cada uno es un gran gesto para el mundo!

1

2

3

4

5

6

El futuro irregular

 CE. 1 (p. 26)

2 Localiza en el texto los verbos en futuro, observa las pistas y escribe cada uno al lado de su infinitivo.

El futuro irregular tiene las mismas terminaciones que el regular:
-é, -ás, -á, -emos, -éis, -án.

1 venir — *vendrá*
2 tener — *tendremos*
3 haber — *habrá*
4 poder — *podremos*
5 querer — *querremos*
6 salir — *saldremos*

¿Qué pasará si...?

 CE. 3, 4 (p. 27)

3 Relaciona las columnas y completa con estos verbos en futuro. Después, completa la regla.

~~tener~~   ~~cortar~~   ~~contaminar~~   ~~poder~~   desaparecer   haber   ~~morir~~   ~~estar~~

1 Si no reciclamos papel...
2 Si no utilizamos bien el agua...
3 Si tiramos basura en el bosque y la playa...
4 Si no utilizamos el transporte público...
5 Si no cuidamos las especies en peligro de extinción...

lakes
a no *habrá* lagos en el futuro.
b se *contaminarán* y no *podremos* visitarlos.
c *morirán* y *desaparecerán* para siempre.
d *cortaremos* muchos más árboles.
e el aire ~~tendré~~ *estará* más contaminado y *tendrá* muchos problemas respiratorios.

Regla

- El futuro también sirve para expresar condiciones en el futuro: *Si* + _____, futuro.

4 Observa las imágenes y escribe frases expresando condiciones.

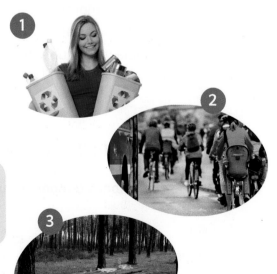

[Ahora tú]

Elige una situación y pregunta a tu compañero, como en el modelo.

▸ Tener malas notas. ✓
▸ Ver a su cantante favorito.
▸ No tener dinero para pagar en la pizzería.
▸ Llover el próximo fin de semana.
▸ Encontrar una cartera con mucho dinero.

¿Qué pasará si tu mejor amigo tiene malas notas?

Repasas
la gramática

Escribe las respuestas en tu cuaderno

El futuro regular e irregular

1 Completa la previsión del tiempo utilizando los siguientes verbos en futuro.

| estar | llover | haber | poder | ser | hacer (x2) | cambiar |

En el norte, el tiempo (1) [_____] nublado, (2) [_____] frío y (3) [_____]. En el centro del país, el día (4) [_____] mucho, (5) [_____] lluvia y sol. En el sur (6) [_____] sol y las temperaturas (7) [_____] agradables. Allí (8) [_____] disfrutar paseando por el parque o por la playa.

2 Forma frases en futuro con un elemento de cada columna.

1 Hacer calor
2 Mis padres y yo visitar Granada
3 Levantarme temprano
4 Mi abuela venir a casa
5 Mi hermana tener que estudiar mucho
6 Manuel pasear al perro

a porque queremos ir a la Alhambra.
b a visitarnos.
c antes de cenar.
d porque el lunes tiene un examen.
e para ir a la escuela.
f en las islas Canarias.

Expresiones temporales

3 Indica qué expresiones temporales usas con futuro (F) y cuáles con pasado (P).

1 Ayer [ ]
2 El mes pasado [ ]
3 El próximo miércoles [ ]
4 El próximo verano [ ]
5 En el siglo XXII [ ]
6 Esta mañana [ ]
7 La semana pasada [ ]
8 La semana que viene [ ]
9 Las vacaciones pasadas [ ]
10 Mañana [ ]
11 Pasado mañana [ ]
12 El año pasado [ ]

Buen/bueno, mal/malo

4 **Completa cómo será la vida de Laura en el futuro.
Después, elige la forma correcta *buen/bueno* o *mal/malo*.**

estudiar ◆ seguir ◆ quedarse ◆ visitar ◆ tener ◆ empezar ◆ correr
ayudar ◆ hacer ◆ terminar ◆ vivir ◆ estar ◆ ir

Después de dos años mis compañeros y yo (1) ☐ el instituto. Algunos
de mis amigos (2) ☐ una formación y otros (3) ☐ estudiando.

Yo (4) ☐ a la universidad y (5) ☐ Veterinaria. Mi padre me (6)
☐, él es un veterinario muy *buen/bueno*.

(7) ☐ en una casa en la sierra, porque quiero tener animales. (8) ☐ muchas mascotas
y todas (9) ☐ libres por el campo.

Mi familia me (10) ☐ los fines de semana y si hace *buen/bueno* tiempo (11) ☐ en el jardín.
Si hace *mal/malo* día, (12) ☐ en casa.

En mi tiempo libre (13) ☐ senderismo, ¡me encanta la naturaleza!

5 **Completa con *buen/bueno* o *mal/malo*.**

1 Manuel es ☐ compañero, siempre me ayuda
a hacer los deberes.
2 En Santiago de Compostela llueve mucho, el tiempo
es ☐.
3 Messi es un jugador de fútbol ☐.
4 María está triste y hoy tiene un día ☐.
5 Irene es muy lista, siempre tiene un ☐ plan.
6 ¿Tienes algún ☐ amigo?

Hacer predicciones

6 **Escribe la predicción para la semana que viene de cada uno de estos signos, como en el modelo.**

 Piscis: amor ★, salud ★★★, relaciones sociales ★★, dinero ★★★.

*Los piscis tendrán una buena semana en el dinero y la salud. Las relaciones sociales
serán regulares y no habrá mucho amor. ¡Querido amigo piscis, mucho ánimo!*

 Leo: amor ★★★, salud ★★, relaciones sociales ★, dinero ★★★★.

 Capricornio: amor ★, salud ★★, relaciones sociales ★★★, dinero ★★★★.

★	malo
★★	regular
★★★	bueno
★★★★	muy bueno

 Sagitario: amor ★★★★, salud ★★★, relaciones sociales ★★★★, dinero ★.

Vivir en sociedad

Reciclar

1 Infórmate sobre la situación del planeta Tierra y contesta las preguntas.

Muchos lugares de la Tierra están llegando a su punto límite de agotamiento. Si continuamos así, en 2050 necesitaremos tres planetas para mantener nuestros actuales modos de vida y consumo. Algunos datos:

- Más de 17 millones de hectáreas de bosques en el mundo desaparecen cada año.
- Más de 3000 millones de toneladas de dióxido de carbono salen cada año a la atmósfera.
- Según la Organización Mundial de la Salud (OMS), 2 millones de personas mueren al año en el mundo por enfermedades relacionadas con la contaminación.
- Hay más de 1000 especies de animales y más de 2000 especies de plantas en peligro de extinción.
- Diariamente se producen en el mundo 4 millones de toneladas de basura que contienen sustancias tóxicas y peligrosas para la salud humana. Además, llegan 6,4 millones de toneladas al mar y a los océanos.
- En el 2050, 50 millones de personas irán a otras zonas del planeta como consecuencia de desastres o problemas ambientales graves.
- El 40 % de la población mundial no tiene acceso al agua potable.

El Día Mundial del Medio Ambiente es una oportunidad para entender que todos somos responsables del cuidado de la Tierra.

«Las decisiones individuales pueden parecer insignificantes, pero cuando miles de millones de personas se unen con un propósito común pueden marcar una gran diferencia». (Secretario General de las Naciones Unidas Ban Ki-Moon)

Adaptado de varias fuentes

1 ¿Cuál es la situación actual del planeta Tierra?
2 ¿Qué dice la OMS?
3 ¿Cuántos animales y plantas están en peligro de desaparecer?
4 ¿Qué consecuencias tiene la producción de basura?
5 ¿Por qué hay personas que abandonan sus países?
6 ¿En qué lugar del texto dice: «Las pequeñas acciones de mucha gente son equivalentes a una gran acción»?

2 Clasifica estos elementos según lo que tú puedes hacer para cuidar el medio ambiente. Reducir (R); Reciclar (Re); Reutilizar (Reu).

DÍA MUNDIAL DEL MEDIO AMBIENTE

5 JUNIO

Cada acción cuenta y tener un mundo más verde está en tus manos. Ayuda al medio ambiente con estos 3 ECOnsejos:

Reducir Reciclar Reutilizar

3 En grupos, escribid acciones que podéis realizar en la escuela para colaborar con el medio ambiente.

Especies en peligro de extinción

La desaparición de las especies es un proceso natural de la evolución, pero actualmente este proceso avanza más rápido. En muchas ocasiones esto se produce por la acción del ser humano (contaminación y cambio climático, caza y pesca ilegal). Si no somos conscientes de nuestra influencia en la naturaleza, muchas especies desaparecerán.

1 Infórmate sobre las distintas especies en peligro de extinción y marca en los mapas la zona donde habitan.

Peligro crítico ✳	En peligro ✳	Vulnerable ✳	Casi amenazada ✳

▶ **Armadillo gigante**

Este mamífero puede pesar más de 60 kg y medir 2 m. Se alimenta de insectos y vive en gran parte de América del Sur, desde Venezuela hasta el norte de Argentina. Su principal amenaza es la destrucción de su hábitat y la caza ilegal para su venta.

▶ **Jaguar o yaguar**

Es el mayor felino de América. Vive en lugares como la selva tropical de México. Es una especie fundamental para mantener el hábitat porque es un gran depredador. Su número disminuye. Está clasificado como una especie casi amenazada.

▶ **Pinzón azul**

Este pájaro de solo 15 cm es una especie propia de las islas Canarias (España). Es una de las aves más amenazadas del planeta a causa de la deforestación de los bosques y los incendios.

▶ **Lince ibérico**

Es el felino más amenazado del mundo. Existen pequeñas poblaciones en el sur de la península ibérica.
Una de las principales causas de su muerte son los accidentes al cruzar las carreteras.

2 Según lo que has leído...

1 Nombra una característica propia de cada especie.
2 Enumera las causas más frecuentes que influyen en la desaparición de las especies.

Un concurso de UNICEF

Concurso de vídeo de un minuto. Los vídeos deben mostrar los problemas del cambio climático y de la conservación del agua.

–Un jurado internacional analiza los vídeos –va leyendo y resumiendo en voz alta Rocío–. Los mejores son premiados con un viaje a Argentina para asistir en Ushuaia, como observadores juveniles, a la conferencia sobre el estado del planeta.

–Fijaos además lo que pone. Que lo podemos presentar en grupo –prosigue Andrés.

–Pues ya está. Este concurso es el nuestro. Tenemos que ganarlo –afirma Juan.

Durante semanas los tres buscan algo original. El trabajo es inmenso porque se dan cuenta de que en todas las partes se habla del tema del agua y del cambio climático. Poco a poco centran su investigación en el continente sudamericano y un día tienen suerte y encuentran un fenómeno muy especial.

–Mirad aquí –grita Andrés–. *Un lago desaparece en 24 horas.*

Los tres se acercan a la pantalla del ordenador.

–Un lago no puede desaparecer así. Eso es magia –explica Rocío.

–Sí, sí. El primero en verlo es Jonathan Leidich. Es agente turístico. Sobrevuela el lago Cachet en Patagonia, al sur de Chile. De repente ve que el lago ha desaparecido. En su lugar hay un agujero de cinco kilómetros de largo, uno de ancho y ochenta metros de profundidad –resume Andrés.

–¿Cómo es posible? –pregunta Rocío.

–Por causa del cambio climático. Ese verano fue más caluroso, el lago recibió de los glaciares más agua de lo debido. Las masas de hielo abrieron un túnel. Y el agua se fue al río Baker –responde Andrés.

–¿Y…? –insiste Juan.

–Y el río se desbordó e inundó todo el valle –explica Andrés.

–¡Perfecto! Ya tenemos el tema para presentarnos al concurso –concluye Rocío.

–Tenemos que buscar todos los detalles: fotos, mapas y hacer un vídeo de un minuto –recuerda Juan.

–Y ponerle un título –propone Rocío.

–Muy sencillo, «El lago que ya no está» –dice Juan.

–Dicho así, parece que se evaporó. Y no tiene bastante relación con lo que nos piden en el concurso, ¿no creéis? –pregunta Rocío.

–Chicos –grita Andrés–, ese fenómeno parece que es normal en zonas de glaciares. Ocurrió dos veces en 2008, porque subió más la temperatura. ¡Y el fenómeno tiene nombre!

–¿Cuál? –preguntan Juan y Rocío.

–GLOF.

–¿GLOF? –repite Rocío.

–Son las iniciales en inglés: *Glacial Lake Outburst Flood* –explica Andrés.

–Así en inglés queda muy bien –opina Juan.

Y los tres se ríen. Como siempre que están juntos. Como siempre que comienzan una nueva aventura.

La duración del vídeo es de un minuto exactamente. Los chicos tardan varias horas en hacerlo. Por fin lo terminan. El momento de enviarlo a UNICEF es de gran emoción.

1 Relaciona estas cifras con aspectos del texto.

a 1:   b 3:   c 24:   d 5:   e 80:   f 2:

2 Responde verdadero o falso a las siguientes afirmaciones.

1 Los ganadores del concurso irán a unas conferencias en Argentina. ☐
2 El trabajo habla sobre el agua y el cambio climático en América. ☐
3 El lago Cachet desaparece de repente. ☐
4 El GLOF ocurre de vez en cuando en zonas glaciares. ☐

3 ¿Qué creéis que pasará después de enviar el vídeo? Con tu compañero escribe un final para el texto.

4 En el texto se menciona un problema relacionado con el calentamiento global y el agua, ¿conoces más problemas? Relaciona cada imagen con el fenómeno correspondiente.

☐ sequía   ☐ deshielo de los polos

☐ inundación   ☐ agua contaminada

a

b

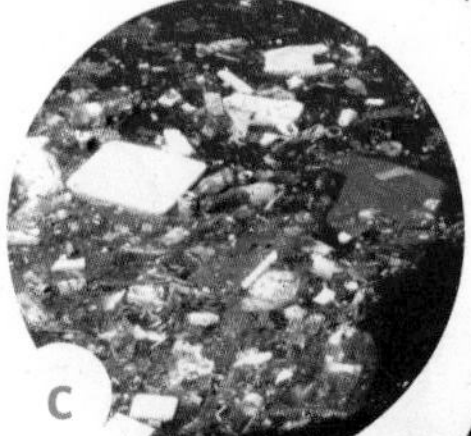

c

d

PROYECTO final

En grupos:

- Elegid uno de los problemas que planteamos.
- Buscad más información: fotos, datos, etc.
- Haced un vídeo de un minuto y presentad el problema (causas, condiciones y futuro del problema).
- Presentad el vídeo en clase.
- La clase vota el vídeo más interesante.

5

¿Cómo estás?

Objetivos

1 Hablar de síntomas y enfermedades

2 Describir el estado de ánimo

3 Dar consejos

▶ LÉXICO

- ✓ Las partes del cuerpo
- ✓ Las medicinas y los remedios
- ✓ Los estados de ánimo

▶ COMUNICACIÓN

- ✓ Explicas qué te duele y qué te pasa
- ✓ Hablas de remedios para una enfermedad
- ✓ Hablas sobre tu estado de ánimo

▶ GRAMÁTICA

- El verbo *doler*
- El imperativo afirmativo
- Los usos de *por* y *para*

Vivir en sociedad

❖ **Los valores del deporte**

ÁREA de Educación Física

❖ **Hábitos saludables**

MAGACÍN *de lectura*

❖ Aventuras para 3:
  Aventura en Machu Picchu
❖ **Proyecto final**

LAS PARTES DEL CUERPO

1 **Lee las pistas y relaciona cada parte del cuerpo con la imagen adecuada.**

1 **El cuello** es la parte que une la cabeza con el tronco.
2 **La espalda** está en el tronco. Es la parte de atrás.
3 **El tobillo** une la pierna con el pie.
4 **El codo** es una parte del brazo.

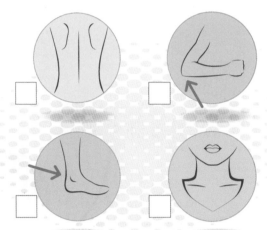

LAS MEDICINAS Y LOS REMEDIOS

2 **Escribe el nombre adecuado debajo de cada imagen.**

- el jarabe
- la crema
- la venda
- la infusión

1 ....   2 ....   3 ....   4 ....

LOS ESTADOS DE ÁNIMO

3 **Fíjate en las imágenes y relaciona cada estado de ánimo con su contrario.**

a    b

contento   tranquilo   nerviosa   triste

¡En forma!

Eduardo está en clase de Educación Física

2 el c _ _ ll _

1 la c _ b _ z _

3 la _ sp _ ld _

4 la m _ n _

5 el br _ z _

6 el c _ d _

7 la r _ d _ ll _

9 el t _ b _ ll _

10 el p _ _

8 la p _ _ rn _

El cuerpo  CE.1 (p. 28)

1 Con tu compañero completa las partes del cuerpo. Después, escucha y comprueba.

Para expresar síntomas:
tener + nombre
estar + adjetivo

tuaulavirtual
PISTA 16

SÍNTOMAS

Los síntomas y los remedios CE. 2, 3 (pp. 28, 29)

2 Escribe cada síntoma debajo de la imagen adecuada.

Tener fiebre   Tener dolor de garganta
Tener dolor de estómago   Tener tos
Tener una herida   Estar cansado

3 Escribe al lado de cada remedio el síntoma para el que se puede utilizar. Hay varias opciones.

1 pastillas ....
2 jarabe ....

3 venda ....
4 infusión ....

Los estados de ánimo CE. 4 (p. 29)

4 Observa las imágenes y completa con el adjetivo adecuado.

a triste

b aburrido

c contento

d nervioso

1 Está [_____]   2 Está [_____]

3 Está [_____]   4 Está [_____]

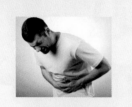
1 [_____]

2 [_____]

3 [_____]

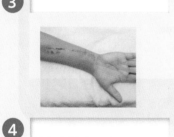
4 [_____]

5 [_____]

6 [_____]

[Ahora tú]

Observa la imagen y describe qué ves, qué ha pasado, qué le duele, qué remedio hay para lo que ha sucedido...

14 Estoy contento

Eduardo revisa su chat

1 Lee las conversaciones de chat del móvil de Eduardo.

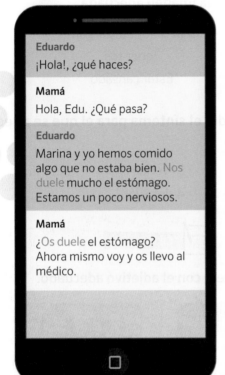

1

Eduardo
¡Hola!, ¿qué haces?

Mamá
Hola, Edu. ¿Qué pasa?

Eduardo
Marina y yo hemos comido algo que no estaba bien. Nos duele mucho el estómago. Estamos un poco nerviosos.

Mamá
¿Os duele el estómago? Ahora mismo voy y os llevo al médico.

2

Eduardo
Hola, Roberto, ¿estás mejor?

Roberto
Sí. La próxima semana vuelvo a clase. Estar en casa enfermo es muy aburrido...

Eduardo
¿Ya no te duele la cabeza?

Roberto
Todavía me duele un poco, pero ya no tengo fiebre. Ayer hablé con Sonia y Daniel y a ellos también les duele la cabeza y tienen fiebre.

Eduardo
¡Vaya! Seguro que es un virus... Entonces no voy a tu casa porque me contagias...

3

Isabel
Hola, Eduardo. Estoy muy asustada.

Eduardo
¿Qué te pasa?

Isabel
Me he puesto un pendiente en el ombligo y está muy rojo y me duele. A mi amiga también le duele, pero no lo tiene rojo. ¿Sabes si hay alguna solución? Estoy un poco triste porque me gusta mucho y no quiero quitármelo 😢

Eduardo
😢

tuaulavirtual
PISTA **17**

2 Ahora, escucha y relaciona cada solución con uno de los textos anteriores.

a solución 1 ☐   b solución 2 ☐   c solución 3 ☐

3 Escucha otra vez y elige la opción correcta.

1 ¿Por qué están enfermos los chicos?

  a Por comer mucho. ☐
  b Por tomar algo en mal estado. ☐

2 ¿Quién aconseja la crema a la chica?

  a El médico. ☐
  b La farmacéutica. ☐

3 ¿Por cuánto dinero compra la crema?

  a Por menos de 3 €. ☐
  b Por más de 3 €. ☐

4 ¿Cuándo tiene que tomar las pastillas?

  a Una por la mañana y una por la noche. ☐
  b Una por la mañana y dos por la noche. ☐

El verbo *doler*  CE. 2, 3 (p. 31)

4 Localiza en los textos del ejercicio 1 las formas del verbo *doler* y completa con los pronombres que faltan.

(A mí)	me	
(A ti)	☐	
(A Ud., él, ella)	☐	duele(n)
(A nosotros/as)	☐	
(A vosotros/as)	☐	
(A Uds., ellos/as)	☐	

¿Qué te duele?

5 Completa con la forma adecuada del verbo *doler* y la parte del cuerpo que corresponde a cada imagen.

1 He corrido mucho y ahora ☐ las 🦵 ☐ .

2 Siempre toma una infusión cuando ☐ el 🫃 ☐ .

3 ☐ el 😣 ☐ porque has dormido mal.

4 Han estado sentadas mucho tiempo, por eso ☐ la 🦴 ☐ .

¿Cómo está?

6 Lee los mensajes de chat y sustituye los emoticonos por el adjetivo adecuado, como en el ejemplo.

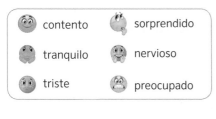

- 😊 contento
- 😮 sorprendido
- 😌 tranquilo
- 😰 nervioso
- 😢 triste
- 😟 preocupado

> Para hablar de estados de ánimos usamos *estar*.

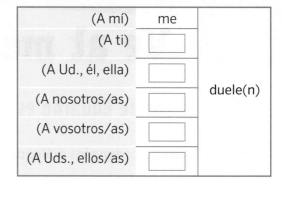

Estoy muy 😰 nervioso
Mañana nos dicen las notas.

😊 ☐
Has estudiado mucho, seguro que apruebas.

Ya tengo las notas y estoy
😄 ☐ ¡¡He aprobado todo!! ¡¡Estoy muy
😊 ☐ !!

¡¡Felicidades!!

¡Hola, Lorena! ¿Qué tal?

Estoy 😟 ☐
Mi gato Milú está muy enfermo. Está en el veterinario.

¡Vaya! Ayer estaba 😮
☐

Pobre Milú. Estoy 😢
☐ , pero seguro que se recupera.

Usos de *por*  CE. 4 (p. 31)

7 Lee estas frases que has oído en los audios y relaciona cada una con el uso adecuado de la preposición *por*.

1 Tengo que tomar una pastilla por la mañana.

2 He comprado una crema por 4 €.

3 Están enfermos por tomar leche en mal estado.

4 He llamado por teléfono a mi amiga...

a Decir un precio o cantidad.

b Indicar la causa o el motivo.

c Señalar las partes del día.

d Decir el medio de comunicación.

[Ahora tú]

Describe a tu compañero qué te pasa, cómo te sientes y cuál es tu estado de ánimo.

15 Ve al médico

Los amigos de Eduardo están enfermos

1 Escucha y ordena los diálogos.

tuaulavirtual
PISTA 18

2 Escucha otra vez y marca los síntomas que corresponden a cada diálogo.

Síntomas

a Tiene dolor de rodilla ☐   c Tiene dolor de estómago ☐   e Está cansado ☐
b Tiene frío ☐   d Le duele la cabeza ☐   f Quiere vomitar ☐

Consejos

3 Lee estos consejos. Relaciona cada uno con un diálogo del ejercicio anterior.

1 Ve a la enfermería y di a la enfermera qué te ha pasado. Manuel irá contigo para ayudarte. Id por las escaleras, pero si no puedes, subid en el ascensor. En casa pon un poco de hielo en la rodilla.

a Diálogo ☐

2 ¿Qué le pasa a tu amiga? Tiene mala cara. Salid a la calle para tomar el aire y caminad despacio. Después se sentirá mejor.

b Diálogo ☐

3 Si estás cansado, levántate poco a poco. Sal de la cama despacio y ten cuidado con el frío. Bebe leche caliente.

c Diálogo ☐

El imperativo afirmativo

 CE. 1, 2, 3 (p. 32)

4 Localiza en los consejos del ejercicio anterior los imperativos que faltan para completar la información.

REGULARES

	caminar	beber	subir	levantarse
tú	camina		sube	
usted	camine	beba	suba	levántese
vosotros/as		bebed		levantaos
ustedes	caminen	beban	suban	levántense

IRREGULARES

	salir	tener	decir	ir	poner	hacer
tú						haz
usted	salga	tenga	diga	vaya	ponga	haga
vosotros/as		tened	decid		poned	haced
ustedes	salgan	tengan	digan	vayan	pongan	hagan

5 Relaciona las columnas y transforma las frases con el verbo en imperativo, como en el ejemplo.

Tienes que tomar el jarabe 3 veces al día para estar mejor.

> *Toma el jarabe 3 veces al día para estar mejor.*

1 Tienes que **ir** al médico ○
2 Tienen que **salir** a caminar una hora al día ○
3 Tiene que **poner** hielo en la rodilla ○   [para]
4 Tienes que **decir** a Manuel que esta infusión es ○
5 Tenéis que **hacer** estos ejercicios ○

○ **a** la próxima semana.
○ **b** explicarle tus síntomas.
○ **c** su madre.
○ **d** tener una vida saludable.
○ **e** poder jugar el fin de semana.

Usos de *para*   📝 CE. 5 (p. 33)

6 Clasifica las frases del ejercicio anterior según el uso de la preposición *para*.

1 Finalidad, objetivo de una acción ☐ ☐ ☐
2 Límite de tiempo ☐
3 Destinatario de algo ☐

7 Relaciona las columnas y escribe una frase en imperativo. Después, completa con *para*, como en el ejemplo.

1 Decir (tú) [____]
2 Hacer (tú) [____]
3 Comprar (usted) [____]
4 Poner (tú) [____]
5 Salir (vosotros) [____]

a al doctor tus síntomas (finalidad)
b al parque (finalidad)
c un libro (destinatario)
d los ejercicios (límite de tiempo)
e una venda en el tobillo (finalidad)

I *para saber qué hacer.*
II ....
III ....
IV ....
V ....

[Ahora tú]

• Describe qué sucede en cada imagen y qué síntomas tienen los protagonistas.

• Da consejos para cada situación.

Repasas
la gramática

Escribe las respuestas en tu cuaderno

El verbo *doler*

1 Escribe qué les pasa a estas personas y qué parte del cuerpo les duele.

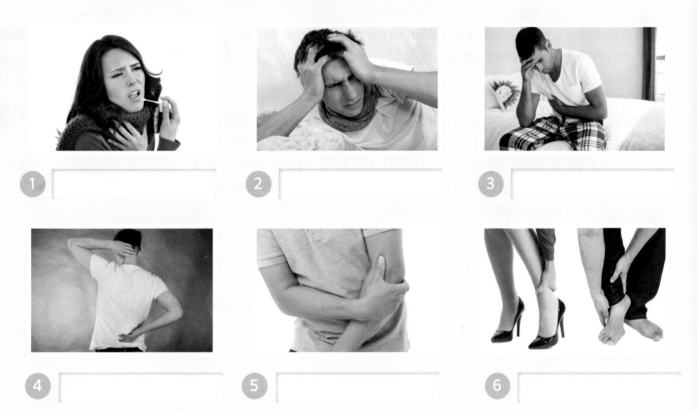

1 _____

2 _____

3 _____

4 _____

5 _____

6 _____

El imperativo afirmativo: verbos regulares e irregulares

2 Elige el verbo adecuado y completa las frases en imperativo.

| dar | salir | decir | hacer | poner | compartir |

1 _____ tu canción preferida para levantarte contento.

2 _____ a tus padres y hermanos que los quieres mucho.

3 _____ a la calle con una sonrisa.

4 _____ un buen plan para el fin de semana.

5 _____ un paseo con una persona especial.

6 _____ los buenos momentos con tus amigos.

Hoy puede ser un buen día
Hoy puede ser un buen

Das consejos

3 Observa las imágenes y escribe un consejo para cada situación.

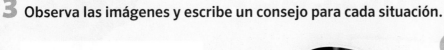

- dormir 8 horas al día
- salir con amigos
- tomar fruta y verdura
- hacer ejercicio

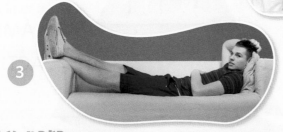

Por y para

4 Completa los usos de *por* y *para* con la frase adecuada.

1 Mañana compramos el regalo para Ana.
2 El trabajo de Ciencias es para el jueves.
3 Felicité el cumpleaños a Juan por Facebook.
4 Voy a clases para aprender español.

5 Compró el pantalón por 20 €.
6 Los sábados por la tarde juego al tenis.
7 No pudimos estudiar por el ruido.

Causa o motivo _____

Límite de tiempo _____

Precio _____

para

Destinatario de una acción _____

por

Partes del día _____

Finalidad, objetivo de una acción _____

Medio de comunicación _____

5 Elige la preposición correcta en cada frase.

1 *Por/Para* la mañana siempre desayuno cereales.
2 Hay que hacer deporte *por/para* tener una vida sana.
3 El profesor está enfadado con Juan *por/para* no hacer los deberes.

4 Envíame la foto *por/para* SMS, por favor.
5 Tengo una sorpresa *por/para* ti.
6 Compraron las entradas del concierto *por/para* 25 €.
7 El trabajo de fin de curso es *por/para* el mes que viene.

Vivir en sociedad

Los valores del deporte

1 Infórmate sobre los valores del deporte.

C ada día realizamos muchas y muy diferentes actividades físicas que nos ayudan a llevar un estilo de vida activo y a mantener hábitos saludables.

Es recomendable también practicar algún deporte: fútbol, baloncesto, *rugby*, tenis, atletismo, balonmano, natación, ciclismo… porque el deporte no solo sirve para mantenernos en forma y para desarrollar diferentes habilidades físicas, también nos enseña algunos valores y principios fundamentales de comportamiento y desarrollo personal.

PIRÁMIDE DE ACTIVIDAD FÍSICA

2 En grupos, decidid qué dos beneficios (no físicos) tiene el deporte. Dad ejemplos de cada uno.

3 Relaciona cada uno de estos valores con su definición.

| 1 Comunicación | 2 Convivencia | 3 Cooperación | 4 Esfuerzo | 5 Respeto | 6 Solidaridad |

a ☐ Todos los deportes tienen normas. Respetar estas normas no significa falta de libertad, sino que nos permite ser libres respetando la libertad de los demás.

b ☐ En el deporte y en la vida, nada se puede conseguir sin voluntad y constancia. Entrenar para un partido o estudiar para un examen es la manera de obtener el premio del éxito.

c ☐ Es importante valorar el trabajo en equipo, porque para alcanzar los objetivos necesitamos la colaboración de todo un grupo.

d ☐ Para entender el plan de juego, para comprender qué debemos hacer en diferentes situaciones, hay que preguntar, hablar y escuchar al entrenador y a los compañeros.

e ☐ En cada equipo, como en cada grupo de amigos, hay que aceptar las diferencias individuales. Todos aportamos cosas distintas que hay que valorar y respetar.

f ☐ A veces, para alcanzar un objetivo común hay que ayudar voluntariamente a nuestro compañero. Los resultados del equipo son más importantes que los individuales.

4 Piensa en un ejemplo real (deportivo o no) representativo de los valores anteriores.

ÁREA de Educación Física

HÁBITOS SALUDABLES

1 Observa las fotos y lee los consejos que proponen para tener una vida saludable. Después, relaciona cada consejo con la foto adecuada.

DECÁLOGO de HÁBITOS SALUDABLES

1. Toma agua antes de realizar ejercicio y bebe en pequeñas cantidades durante todo el día.
2. Sigue una alimentación saludable. Come variado y haz 5 comidas diarias.
3. Bebe agua y líquido suficiente.
4. Fortalece los músculos y el corazón haciendo ejercicio físico.
5. Duerme 8 horas al día para tener energía y hacer todas las tareas del día siguiente.
6. Lávate las manos antes de comer y los dientes después.
7. Activa tu mente: lee, estudia y haz crucigramas.
8. Evita estar mucho tiempo sentado delante del televisor, ordenador o consola.
9. Sal a la calle, pasea y queda con amigos.
10. Sé positivo e intenta ver siempre el lado bueno de las cosas.

2 Después de leer el decálogo...

- ¿Qué consejos te parecen más importantes? Ordénalos de + a – importantes.
- ¿Qué consejos de esta lista sigues? Márcalos.
- En grupos, añadid tres consejos más al decálogo.

La receta perdida

Rocío rompe el silencio:

—Díganos con qué plantas ha curado a Andrés.

—Machu Picchu es como el mayor jardín botánico del mundo —explica el médico—. Desde que el mundo es mundo nuestros antepasados se han curado con las plantas.

—¿Así es que usted no practica la medicina tradicional? —dice Juan.

—No —dice con fuerza el médico—. Aquí todo es natural. Hay plantas que curan, hay plantas que ponen en forma, hay plantas que pueden matar…

—¿Y entonces? —añadió Rocío.

—Nosotros lo sabemos. Mi abuelo era médico de la medicina natural, mi padre también. Me han transmitido su saber. Reconocer las plantas y saberlas mezclar, esa es mi ciencia.

Señala una estantería y les enseña unos frascos. Cada uno tiene una etiqueta con un nombre. Coge un frasco, lo abre y les enseña una muestra de una planta:

—La espina colorada, en quechua *Sikallu Warraqu*, es una planta que crece a 3800 metros en lugares secos, con rocas y con sol. Solo se utiliza su carne. La utilizamos como cataplasma para dolores de cabeza, de muelas, inflamaciones.

—¡Huy! —dice Juan—, esa es la mía. ¡Con lo que me duele a mí la cabeza!

El médico coge otro frasco.

—Pues en ese caso, muchacho, lo mejor es tomar el ágave, que llamamos *Jaya Jaya*. Crece en los valles y en lugares secos todo el año. Solo se utilizan sus hojas. Purifica el estómago y el intestino. Cura las heridas y quita también el dolor de cabeza.

— A mí me parece muy bien esta medicina natural —dice Rocío—. Nosotros tomamos demasiados fármacos químicos. Eso no puede ser bueno.

—Sí, sí —insiste el médico—. Mucha gente viene aquí y de muy lejos para purificarse. Para unirse con la naturaleza, para recobrar fuerzas al estar en contacto con la vida natural.

Eusebio abre de nuevo el monedero de Juan. Busca entre las monedas, saca una, le da unas vueltas entre los dedos… ¡y la abre! En el interior hay un papel muy pequeño.

—Sí, muchachos, ustedes realizaron una misión muy importante. Esta moneda es muy rara, es un escudo de oro de Cuzco. Hay muy pocas monedas como esta, pero lo importante no es su valor en dinero. Lo importante es que alguien muy hábil hizo un mecanismo para esconder una receta de muchísimo más valor.

—¿Y esa receta para qué enfermedad es? —pregunta Rocío.

—Es una medicina secreta inca para los males del alma. La receta se transmitió oralmente de padres a hijos. Yo la recibí de mi padre y la escribí. Luego la escondí y ya saben ustedes la historia. Gracias a ustedes voy a poder prepararla.

Los tres se miran y sonríen. Han realizado una misión sin saberlo.

Eusebio se acerca a un armario. Coge unos sobres y los llena de semillas. En cada uno escribe las propiedades de las plantas.

—Tengan estas semillas y plántenlas en su tierra de España. Van a ver qué infusiones tan buenas y tan sanas se pueden preparar con ellas. Es mi modo de darles las gracias, amigos.

—Claro que las vamos a plantar y a cultivar —afirma Andrés.

1 **Busca en el texto.**

a   Un sinónimo de *botella*: ....

b   Un sinónimo de *piedras*:......................

c   El nombre de una lengua de América Latina: ....

d   El nombre de una moneda: ....

e   El nombre de tres partes del cuerpo:...

f   El nombre de cuatro relaciones familiares:..

2 **Marca (✓) qué planta sirve para curar cada problema.**

	espina colorada	ágave	receta secreta
1 Dolor de muelas			
2 Dolor de cabeza			
3 Mal del alma			
4 Limpiar el estómago			
5 Purificar el intestino			
6 Inflamación			
7 Curar heridas			

PROYECTO final

En grupos:

- Elegid un problema de salud visto en la unidad.
- Buscad información sobre medicinas naturales que se usan en vuestro país para solucionarlo.
- Haced una breve presentación explicando diferentes soluciones para ese problema.

espina colorada

ágave

6

¿Qué vacaciones prefieres?

Objetivos

1 Hablar sobre diferentes tipos de vacaciones

2 Expresar deseos

3 Actuar ante un problema

► LÉXICO

✓ El voluntariado
✓ Internet y las redes sociales
✓ La música y los conciertos
✓ El grafiti y el cómic

► COMUNICACIÓN

✓ Hablas de tus vacaciones preferidas
✓ Expresas tus deseos
✓ Das y recibes consejos

► GRAMÁTICA

● El presente de subjuntivo: verbos regulares e irregulares
● El imperativo negativo
● Los pronombres de objeto indirecto: *me, te, le, nos, os, les*

Vivir en sociedad

∴ **El uso responsable del tiempo libre**

ÁREA de Nuevas Tecnologías

∴ **Navegar por Internet correctamente: la *netiqueta***

MAGACÍN *de lectura*

∴ **Aventuras para 3:** *En busca del ámbar azul*
∴ **Proyecto final**

VACACIONES DE VOLUNTARIO

1 Observa estas imágenes y marca cuáles relacionas con actividades de un voluntario.

VACACIONES MUSICALES

2 Relaciona cada imagen con la palabra adecuada.

1 taquilla   **2** entrada   **3** música   **4** escenario

VACACIONES CREATIVAS

a

b

3 Une cada expresión artística con su nombre y con el objeto adecuado.

cómic

grafiti

1

2

Unas vacaciones diferentes

Manuel busca actividades para sus vacaciones

1

¿Quieres pasar unas vacaciones diferentes?

¡Te esperamos en nuestras clases de diseño de cómics!

Aprenderás a diseñar personajes, a escribir diálogos, a colorearlos, etc. Serás un experto en diseño. ¡No te lo pierdas!

www.comicsytebeos.com

2

Te ofrecemos la posibilidad de participar en una labor social.

Muchas personas mayores quieren **navegar por Internet** o comunicarse en las **redes sociales**, ¿quieres enseñarles todas las posibilidades del ciberespacio?

¡Ven con nosotros y pasa unas vacaciones diferentes!

Envía un *e-mail* a:
diferentesedadesmismosobjetivos@social.org

3

Si eres creativo y te gusta expresarte mediante el arte, estas vacaciones te esperamos en nuestros talleres de

CREACIÓN DE GRAFITIS

Pasa las vacaciones con gente de tu edad, en un buen ambiente y aprende a expresarte con los sprays.

¡Te esperamos en www.expresate.org!

4

¿La música te encanta? ¿Quieres aprender a tocar un instrumento?

Tus próximas vacaciones ven con nosotros y sigue tus deseos. Asistirás a conciertos, conocerás diferentes estilos musicales, etc. ¡Y además disfruta con gente como tú en la playa!

www.lamusicaestaenelaire.com

Propuestas de vacaciones

 CE. 1, 2, 3 (pp. 34, 35)

1 Lee las propuestas de vacaciones del tablón de anuncios del instituto de Manuel y pon un título a cada anuncio.

Internet y las redes sociales

2 Lee las pistas y relaciona cada imagen con la definición adecuada.

1 Tienes el control de una máquina muy poderosa.
2 Puedes llevar el conocimiento donde quieres.
3 Todos pueden saber qué estás haciendo ahora, compartes tus cosas con tu gente.
4 Tienes acceso a muchas aventuras, es el primer paso para casi todo en la red.
5 Puedes ser una persona diferente, puedes «hablar» con gente de todo el mundo.

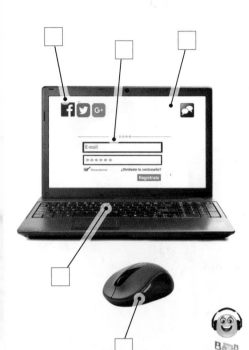

La música y los conciertos

tuaulavirtual
PISTA **19**

3 Escucha a estos amigos hablando sobre un festival de música. Marca qué palabras aparecen en la conversación.

1 entradas ☐
2 escenario ☐
3 taquilla ☐
4 grupos ☐
5 instrumentos ☐
6 cola ☐

4 Ahora, lee el texto y sustituye cada icono por la palabra correcta.

1 ¡Ven al festival de 🎼 _____ más brutal del año!
2 En un mismo _____ verás a tus grupos favoritos.
3 Compra tus _____ en www.ticketparatodo.com.
4 Para ver esa película hay que hacer cola en _____ .

El grafiti y el cómic

5 Relaciona cada una de estas palabras con la imagen adecuada.

a rotuladores ☐   c muro ☐   e dibujo ☐
b *spray* ☐   d diseño ☐   f arte ☐

[Ahora tú]

¿Qué plan de vacaciones del ejercicio 1 prefieres?
¿Por qué? ¿Has participado en alguna propuesta similar?
Cuenta tu experiencia.

17

Quiero que vengas pronto

Manuel y sus compañeros hablan de las vacaciones

1 Lee las conversaciones de chat del móvil de Manuel.

Manuel

Primoooo, ¿qué tal el final de curso?

Nick

Biennnn. Esta semana termino los exámenes finales y ya estoy pensando en las vacaciones. ¡Qué bien! Pronto estaré allí todo el verano.

Manuel

¡Quiero que *vengas* pronto y que *apruebes* todas las asignaturas! 😊

Nick

Oye, ¿quieres que *nos apuntemos* a un curso para aprender a dibujar cómics?

Manuel

Guau, ¡eso suena estupendo! ¡Será una experiencia inolvidable!

Nick

Sí. Estarán Carlos y Raquel también. ¡Deseo que *pasemos* un buen verano!

Mensaje nuevo

Helvetica 12 B I U

Estimado Manuel:
Mi nombre es Miguel López y soy el coordinador del voluntariado.
El taller de Internet que te interesa es por las tardes, de 16:00 a 18:00, y dura 15 días, ¿qué te parece?
El próximo curso de formación para voluntarios será el fin de semana que viene. Espero que *asistas*, será muy interesante.
Un saludo,
Miguel

10:35

Ainoa
¿Has visto el tablón de anuncios del instituto con propuestas para las vacaciones? ✓✓

Manuel
Sí, ¡hay muchas opciones! ✓✓

Ainoa
Uf... sí, muchas... Yo me apuntaré a los talleres de música. Mi madre quiere que *estudie* algo creativo y yo quiero aprender a tocar la guitarra, ya sabes que deseo estudiar en el conservatorio, así que... ✓✓

Manuel
¡Qué bien! ✓

Ainoa
Espero aprender mucho. ✓✓

Manuel
¡Claro!, ya verás, ¡vas a tocar como una profesional! 😊 ✓✓

---

1   ¿Quién quiere pasar unas vacaciones de «acción social»?

2   ¿Qué instrumento quiere aprender a tocar Ainoa?

3   ¿Cuántas personas aprenderán a dibujar cómics?

4   ¿Cuánto dura el voluntariado que quiere hacer Manuel?

El presente de subjuntivo  CE. 1, 2 (p. 36)

2 **En los textos hay una forma verbal nueva. Localízala y completa la información.**

	verbos regulares			verbos irregulares	
	ESTUDIAR	**APRENDER**	**ASISTIR**	**APROBAR**	**VENIR**
1 venir	estudie	aprenda	asista	apruebe	venga
2 aprobar	estudies	aprendas	asistas	apruebes	vengas
3 apuntarse	estudie	aprenda	asista	apruebe	venga
4 pasar	estudiemos	aprendamos	asistamos	aprobemos	vengamos
5 estudiar	estudiéis	aprendáis	asistáis	aprobéis	vengáis
6 asistir	estudien	aprendan	asistan	aprueben	vengan

Expresar deseos  CE. 3, 4, 5 (p. 37)

3 **Vuelve a leer los textos del ejercicio 1 y elige la opción correcta. Después, completa con los ejemplos adecuados.**

Cuando la persona tiene un deseo y realiza la acción, se usa: infinitivo/subjuntivo.

a Quiero ....
b Espero ....
c Deseo ....

Cuando la persona tiene un deseo y otra persona realiza la acción, se usa: infinitivo/subjuntivo.

a Mi madre quiere que ....
b Quiero que ....
c Quieres que ....
d Deseo que ....
e Espero que ....

4 **Completa con la forma correcta del presente de subjuntivo o con infinitivo. Añade _que_ en caso necesario.**

1 Espero (apuntarse, yo) [ ] al curso de guitarra el mes que viene.
2 Sus primos quieren (pasar, ellos) [ ] las vacaciones en el pueblo.
3 Mi madre quiere (hablar, mi madre) [ ] con mi profe de Francés.
4 Mis amigos desean (aprobar, yo) [ ] los exámenes finales.
5 Esperamos (aprender, vosotros) [ ] mucho español.

5 **Observa las imágenes y escribe una frase, como en el modelo.**

a pasar

b disfrutar

a _¡Deseo que paséis una buena tarde!_
b ....
c ....
d ....

c divertirse

d gustar

[Ahora tú]

Habla con tu compañero de sus próximas vacaciones, cuéntale tus proyectos. Entre los dos, formulad deseos para vuestros planes.

18 No te calles

Manuel asiste a una conferencia

Cómo evitar **EL ACOSO ESCOLAR**

1 a tus compañeros.

No les des la espalda

2 No protejas a los que te acosan, ¡llámanos!

¡con amigos todo es más fácil!

No estés solo, **4**

3 No te calles, ¡pídele ayuda!

5 No busques más problemas... Di NO, pero no te enfrentes.

6 ¡Muévete! No estés quieto.

1 En el instituto de Manuel hay una conferencia sobre el acoso escolar. Lee la información del cartel y contesta las preguntas.

¿Qué información aconseja que...

a estés con tus compañeros?

b hables con especialistas si los necesitas?

c hables con tu profesor?

d apoyes a los chicos que estudian contigo?

e seas activo ante este problema?

f no aceptes el acoso?

Para consejos en imperativo negativo, se usa *no* + presente de subjuntivo.

El imperativo negativo

CE. 1, 2, 3 (pp. 38, 39)

2 Busca ejemplos en el cartel anterior y escribe el imperativo negativo de estos verbos.

1 dar ....

2 proteger ....

3 callarse ....

4 estar ....

5 buscar ....

3 Completa las frases con la forma adecuada.

1 ¡No (preparar, vosotros) [_____] mucha comida! Prefiero tomar fruta.
2 Esta es mi silla, ¡no la (utilizar, ustedes) [_____]!
3 ¡No (esperar, tú) [_____] más! Ana siempre llega tarde.
4 No (pensar, vosotros) [_____] en los deberes, ¡pensad en las vacaciones!

Pronombres de OI
me
....
....
nos
os
......

Los pronombres de objeto indirecto   CE. 4 (p. 39)

4 Observa los pronombres marcados en el cartel y completa la información.

A ella le gusta el cine   CE. 5 (p. 39)

5 Completa con un pronombre de OI y una de estas frases, como en el modelo.

a gustar ir al cine
b comprar un regalo
c gustar el fútbol
d explicar la lección
e doler la cabeza
f encantar hacer *selfies*

1 A mi hermana [le] (a)   2 A nosotros [_____] ◯

3 A mí [_____] ◯   4 A ti [_____] ◯   5 A ellos [_____] ◯   6 A vosotras [_____] ◯

No me lo des

6 Responde las preguntas con los pronombres y el verbo en la forma adecuada, como en el modelo.

1 ¿Te doy tu regalo?
   a No, no *me lo des.*

2 ¿Os cuento el final de la película?
   b No, no ....

3 ¿Te compro esos patines?
   c No, no ....

4 Te voy a decir la sorpresa...
   d No, no ....

[Ahora tú]

Elige una imagen y da consejos afirmativos y negativos, para sus planes de vacaciones.

1   2

7 Ahora, escucha y comprueba.

tuaulavirtual

PISTA **20**

Repasas
la gramática

Escribe las respuestas en tu cuaderno

El presente de subjuntivo

1 Completa con las formas verbales que faltan.

	ESTUDIAR	APRENDER	ESCRIBIR
yo	estudie	aprenda	escriba
tú	estudies	aprendas	escribas
Ud., él, ella	estudie	aprenda	escriba
nosotros/as	estudiemos	aprendamos	escribamos
vosotros/as	estudiéis	aprendais	escribáis
Uds., ellos/as	estudien	aprendan	escriban

	VENIR	APROBAR
yo	venga	apruebe
tú	vengas	apruebes
Ud., él, ella	venga	apruebe
nosotros/as	vengamos	apruebemos
vosotros/as	vengáis	apruebeis
Uds., ellos/as	vengan	aprueben

2 Relaciona cada verbo con la forma de subjuntivo adecuada. Después, indica la persona.

1	buscar	c
2	querer	f
3	cerrar	b
4	estar	d
5	hacer	
6	poder	
7	proteger	
8	quedarse	j
9	ser	
10	tener	
11	volver	

a	protejas	
b	cierre	yo
c	busquemos	nosotros/as
d	estés	
e	hagas	
f	quieras	el / ella
g	vuelvas	
h	tengamos	
i	seas	
j	me quede	yo
k	podamos	

El imperativo negativo

 El imperativo negativo se forma con *no* + presente de subjuntivo.

3 Escribe las formas en imperativo negativo.

1 estudiar, vosotros	comer, usted	3 recibir, tú	4 cerrar, tú	5 dormir, vosotros
no estudeis	no ~~cema~~ coma	no recibas	no cierras	no durmeis

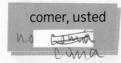 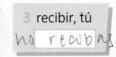

6 empezar, tú	7 seguir, ustedes	8 ser, vosotros	9 subir, vosotras	10 vestirse, tú
no empezias				

Expresar deseos

4 **Lee las frases y escribe cómo reaccionan estas personas.**
Usa *querer*, *desear*, *esperar* + indicativo/subjuntivo.

1 Esta semana estoy estudiando mucho porque tengo exámenes.

(Su madre): esta semana estas estudiando mucus porque tiene exámenes

2 Mi tren sale a las 18:30 y son las 18:00.

(Yo mismo): mi tren sale a las 18:30 y son las 18:00

3 Hoy es mi cumpleaños.

(Sus amigos): Hoy es tú compleaños.

4 Nuestro partido de fútbol es el próximo sábado.

(Tú):

5 ¡El mes que viene vamos de campamento!

(Tu profesora):

6 Ha empezado el curso.

(Su padre):

Los pronombres de OI

5 **Completa con los pronombre de OI.**

1 Mi madre quiere que (a ella) [ ] compre un regalo.

2 ¡No (a mí) [ ] grites. No estoy sordo!

3 Espero que (a vosotros) [ ] regalen un ordenador nuevo.

4 ¡No quiero que (a él) [ ] dejes el libro, lo va a romper!

5 Espero que (a ti) [ ] compren un juego para la videoconsola.

6 Los primos (a nosotros) [ ] desean feliz Navidad.

6 **Lee las preguntas y responde con un pronombre de OI y el verbo en la forma adecuada, como en el modelo.**

1 ¿Te doy tu libro?

2 ¿Os ayudo con el ejercicio?

3 ¿Os doy dinero para comprar pan?

4 ¿Me compras una guitarra?

5 ¿Te explico una dirección?

a No, no me lo des.

b No, no [ ].

c No, no [ ].

d No, no [ ].

e No, no [ ].

Vivir en sociedad

El uso responsable del tiempo libre

El «tiempo libre» son aquellos momentos en los que no realizamos actividades obligatorias o programadas y hacemos las cosas que nos gustan o apetecen.

La ONU (Organización de las Naciones Unidas) afirma que realizar actividades de recreo es un derecho básico de los jóvenes, como el derecho a la educación, a la vivienda o a la atención médica. Pero tener un derecho significa tener también una responsabilidad.

No debemos malgastar el tiempo libre o identificarlo con no hacer nada porque el tiempo de ocio también forma parte del desarrollo intelectual, emocional y físico de cada persona. Si usamos nuestro tiempo libre de manera creativa para desarrollar nuestras habilidades y aumentar nuestras experiencias, estaremos llenando nuestra vida de contenido y utilizando el tiempo de ocio para disfrutar de lo que nos gusta y para crecer como personas.

1 **Después de saber algo más sobre el tiempo libre, marca la opción correcta.**

El tiempo libre es el tiempo que...

☐ tienes después de estudiar y/o trabajar.

☐ queda después de hacer todas las obligaciones cotidianas.

☐ se usa para el desarrollo intelectual, emocional, físico y psicológico de cada persona.

2 **Busca en el texto un sinónimo de «tiempo libre».**

3 *Tener derechos* **significa 'tener deberes'. Observa las siguientes obligaciones, ordénalas y justifica tu respuesta.**

1 Mantener limpio y recogido mi cuarto.
2 Estudiar para tener una buena cultura.
3 Tener un estilo de vida saludable.
4 Respetar los horarios de casa.
5 Hacer los deberes y tareas para casa.

4 **Tener tiempo libre también es un derecho, escribe qué deberes implica.**

5 **Indica con qué frecuencia realizas estas actividades: normalmente (N), a veces (A), nunca (NU).**

1 leer libros ☐
2 escuchar música ☐
3 practicar deporte ☐
4 bailar ☐
5 ir de compras ☐
6 jugar con videojuegos ☐
7 quedar con amigos ☐
8 estar con la familia ☐
9 visitar un museo ☐
10 hablar por el móvil con amigos ☐
11 participar en un grupo de teatro ☐
12 ver películas en versión original ☐

6 **Indica qué actividades anteriores ayudan al desarrollo intelectual (I), emocional (E), físico (F) o a ninguno (O).**

7 **¿Crees que usas tu tiempo libre de manera responsable? ¿Qué puedes hacer para mejorar el uso de tu tiempo libre?**

Las redes sociales

NAVEGAR POR INTERNET CORRECTAMENTE

LA NETIQUETA

Al igual que existen unos criterios para convivir en la sociedad «que puedes tocar», también existen para el mundo virtual, y es importante conocerlos para no ser maleducados cuando estamos en la red.

La *netiqueta* marca los comportamientos que tenemos que tener cuando escribimos correos electrónicos, en las redes sociales o incluso en las comunicaciones por aplicaciones del móvil. En todas ellas tenemos que mantener las formas y comportarnos correctamente con los que conviven con nosotros en el mundo virtual.

Aquí tienes algunas reglas para una navegación correcta, divertida y responsable.

➔ No hagas a otras personas lo que no quieres que te hagan a ti.

➔ ¡No grites, o sea, no escribas en mayúsculas!

➔ No utilices palabras malsonantes y no hables mal de la gente.

➔ No aceptes las invitaciones de todos, selecciona a la gente que realmente conoces.

➔ No etiquetes a nadie sin permiso, hay que respetar la intimidad de cada persona.

➔ No publiques fotos o vídeos sin permiso, puedes tener problemas.

➔ No envíes los mensajes sin volver a leerlos.

➔ Denuncia cuando es necesario. No olvides que entre todos hacemos un entorno más seguro.

➔ No mires los errores de los demás, todos tenemos errores.

1 ¿Has entendido qué es la *netiqueta*?

2 ¿En qué aplicaciones debemos ponerla en práctica?

3 Actualmente, ¿ya actúas así en tus redes sociales?

4 ¿Puedes añadir algún consejo a los anteriores?

Español Lengua Extranjera

Colección
AVENTURAS para 3

Descarga gratuita
del audio en
www.edelsa.es

En busca del
ámbar azul

5

Alonso Santamarina

El Palacio de Santa Cruz

Juan y Rocío han ido a buscar a Andrés a la salida de su colegio. Lo esperan en la plaza del Palacio de Santa Cruz, al lado del colegio de Andrés.

Les gusta hablar con los estudiantes extranjeros que aprenden español allí. Durante el año han conocido a algunos.

También han conocido a uno de sus profesores. Se llama Ramón Duarte, es de Santo Domingo, la capital de la República Dominicana. Es un profesor joven. A Ramón le gusta ver a sus estudiantes hablar con nativos.

Un día los invita a tomar un refresco. El curso se va a terminar y Ramón va a volver a su país.

–¿Y dónde tú vives, Rocío? –pregunta Ramón.

–Pues cerca de aquí, en la calle Colón.

–¡Qué coincidencia! –dice Ramón–. Ya saben ustedes que Colón está muy presente en Santo Domingo. Fue donde llegó por primera vez a América, en concreto a mi isla…

– Oiga –pregunta Rocío–, ¿es verdad que en su país hay mucho ámbar?

– Sí, el ámbar es muy importante para la República Dominicana.

A partir de ese momento se hacen todavía más amigos de Ramón. Los chicos hablan mucho de él y de su país.

Finalmente los padres de los tres deciden invitarlo a comer. ¡Quieren conocer a ese famoso profesor!

Durante la comida, los padres de los chicos simpatizan mucho con el profesor. Ramón Duarte es de una buena familia de abogados de la capital, Santo Domingo. Los padres están contentos de conocerlo. Pero Ramón y el padre de Juan no están de acuerdo en algunas cosas sobre Colón. Ramón afirma que su cuerpo está en Santo Domingo. Y Esteban afirma que está en Sevilla.

Al final de la comida, Ramón invita a los chicos a pasar unos días de las vacaciones de verano en Santo Domingo, en casa de sus padres. ¡Vaya sorpresa! ¡Y los padres de Juan deciden ir también! ¡Sorpresa doble!

1 ¿Qué puedes decir de estas personas o lugares?
Busca información en el texto.

a Ramón: ....
b Calle Colón: ....
c Ámbar: ....

d Los padres de los chicos: ....
e Sevilla: ....
f Las vacaciones de verano: ....

2 Imagina y escribe cinco actividades que pueden hacer
los chicos en sus vacaciones de verano.

a ....
b ....
c ....

d ....
e ....

3 Formula un deseo para cada uno de los chicos.

1 Andrés:

2 Rocío:

3 Juan:

PROYECTO final

En grupos:

- Elaborad un formulario sobre las vacaciones para hacer a vuestros compañeros. Podéis incluir: lugares para visitar, actividades para hacer, amigos que volverás a ver, etc.

- Elegid a otro grupo de clase y haced las preguntas de vuestro formulario a una persona de ese grupo.

- Ahora, con las respuestas, escribid un breve texto explicando sus planes. Al final incluid tres deseos para sus vacaciones.

Resumen de gramática

✱ El pretérito perfecto compuesto
(pág. 13)

haber + participio	participios irregulares
he has ha + hablado hemos aprendido habéis subido han	abrir → abierto escribir → escrito decir → dicho hacer → hecho poner → puesto volver → vuelto ver → visto

Usos y observaciones:

▶ Contar acontecimientos pasados en un tiempo no terminado: *¿Has visitado París?*

▶ Hablar de experiencias y actividades pasadas sin especificar cuándo se realizaron. Va con expresiones como: *Alguna vez, muchas veces, todavía no, ya.*
–*¿Alguna vez has estado en este hotel?*
–*No, no he estado nunca.*

▶ Va con expresiones como: *Hoy, esta mañana/ tarde/semana, este año/mes, hace un rato.*
Esta mañana he hablado con Luis.

▶ Forma negativa: *No + haber + participio:*
No he estado en esa ciudad.

verbos regulares

estar	tener	salir
estaba	tenía	salía
estabas	tenías	salías
estaba	tenía	salía
estábamos	teníamos	salíamos
estabais	teníais	salíais
estaban	tenían	salían

verbos irregulares

ser	ir
era	iba
eras	ibas
era	iba
éramos	íbamos
erais	ibais
eran	iban

Las perífrasis de infinitivo
(pág. 15)

▶ **Ir a + infinitivo**
Expresa planes de hacer algo en el futuro:
Mañana va a levantarse temprano.

▶ **Empezar a + infinitivo**
Expresa inicio de una acción: *Este mes he empezado a estudiar español.*

▶ **Dejar de + infinitivo**
Expresa interrupción o fin de una acción:
Carlos ha dejado de leer el libro.

▶ **Volver a + infinitivo**
Expresar repetición de una acción:
Ayer chateé con Laura y hoy he vuelto a chatear con ella.

El pretérito imperfecto (pág. 27)

Usos y observaciones:

▶ Expresar cambio: *antes/ahora: Antes no tenía móvil.*

▶ Hablar de acciones habituales en el pasado:
Cuando era pequeño, jugaba en casa con mi hermana.

▶ Describir personas o cosas en el pasado: *De pequeño, él vivía en Puerto Rico.*

▶ Van con expresiones como: *antes, hace unos años, siempre, cuando era pequeño, de niño, en aquella época. De pequeño no iba solo al cine.*

Acuerdo/desacuerdo (págs. 23 y 27)

acuerdo
Me gusta el chocolate
A mí también
A mí no

desacuerdo
☹ **NO me gusta** el fútbol
☹ A mí tampoco
☺ A mí sí

Los indefinidos (pág. 29)

	afirmativo	negativo
persona	alguien	nadie
objeto	algo	nada

Usos:

▸ *Algo* se refiere a una cosa no específica o que no conocemos.

▸ *Alguien* se refiere a una persona no específica o que no conocemos.

▸ *Nada* se refiere a 0 acciones.

▸ *Nadie* se refiere a 0 personas.

El pretérito perfecto simple (pág. 41)

verbos regulares

viajar	comer	escribir
viajé	comí	escribí
viajaste	comiste	escribiste
viajó	comió	escribió
viajamos	comimos	escribimos
viajasteis	comisteis	escribisteis
viajaron	comieron	escribieron

Usos y observaciones:

▸ Hablar de experiencias pasadas: *Estuve en España en 2015.*

▸ Hablar de acciones puntuales y acabadas. Va con expresiones como <u>*hace x años*</u>, *en aquella ocasión*, *aquel fin de semana*, *x años después*, etc.: *Hace tres años estuve en España.*

▸ Valorar una experiencia: *¡Fue la bomba!*

verbos irregulares

estar	tener	hacer	poner	poder
estuve	tuve	hice	puse	pude
estuviste	tuviste	hiciste	pusiste	pudiste
estuvo	tuvo	hizo	puso	pudo
estuvimos	tuvimos	hicimos	pusimos	pudimos
estuvisteis	tuvisteis	hicisteis	pusisteis	pudisteis
estuvieron	tuvieron	hicieron	pusieron	pudieron

ser/ir	ver	dormir	pedir	decir
fui	vi	dormí	pedí	dije
fuiste	viste	dormiste	pediste	dijiste
fue	vio	durmió	pidió	dijo
fuimos	vimos	dormimos	pedimos	dijimos
fuisteis	visteis	dormisteis	pedisteis	dijisteis
fueron	vieron	durmieron	pidieron	dijeron

Resumen de gramática

El futuro (págs. 55 y 57)

verbos regulares

estudiar	volver	ir
estudiaré	volveré	iré
estudiarás	volverás	irás
estudiará	volverá	irá
estudiaremos	volveremos	iremos
estudiaréis	volveréis	iréis
estudiarán	volverán	irán

Usos y observaciones:

▶ Hablar de acontecimientos en el futuro: *El próximo mes viviré en Madrid.*

▶ Expresar planes: *Volveré a casa en autobús.*

▶ Expresar condiciones en el futuro: *Si no reciclamos papel, cortarán muchos más árboles.*

▶ Va con expresiones como: *mañana, pasado mañana, el próximo mes/año, la próxima semana, el mes/año que viene, la semana que viene.*

verbos irregulares

venir	tener	salir	poner	poder	haber	decir	querer
vendré	tendré	saldré	pondré	podré	habré	diré	querré
vendrás	tendrás	saldrás	pondrás	podrás	habrás	dirás	querrás
vendrá	tendrá	saldrá	pondrá	podrá	habrá	dirá	querrá
vendremos	tendremos	saldremos	pondremos	podremos	habremos	diremos	querremos
vendréis	tendréis	saldréis	pondréis	podréis	habréis	diréis	querréis
vendrán	tendrán	saldrán	pondrán	podrán	habrán	dirán	querrán

El verbo *doler* (pág. 69)

A mí A ti A Ud., él, ella A nosotros/as A vosotros/as A Uds., ellos/as	me te le nos os les	duele	el estómago la cabeza
		duelen	los pies las manos

Usos y observaciones:

▶ Hablar del estado físico: *Me duele la cabeza.*

▶ Usamos *duele* + nombre singular.

▶ Usamos *duelen* + nombre en plural.

▶ El verbo *doler* tiene la misma estructura que *gustar, encantar.*

El imperativo afirmativo (págs. 70 y 71)

verbos regulares

	caminar	beber	subir
tú	camina	bebe	sube
Ud.	camine	beba	suba
vosotros/as	caminad	bebed	subid
Uds.	caminen	beban	suban

levantarse
levántate
levántese
levantaos
levántense

verbos irregulares

	decir	salir	tener	hacer	poner	ir
tú	di	sal	ten	haz	pon	ve
Ud.	diga	salga	tenga	haga	ponga	vaya
vosotros/as	decid	salid	tened	haced	poned	id
Uds.	digan	salgan	tengan	hagan	pongan	vayan

Usos y observaciones:

▶ Dar consejos: *Para tener una dieta sana come fruta y verdura.*

▶ La persona *vosotros/as* pierde la -d: *Levantad+os = Levantaos.*

▶ Los pronombres de OD y OI van después del imperativo afirmativo: *Respetad los bosques → Respetadlos. Da a tu hermano la medicina → Dale a tu hermano la medicina.*

▶ En los verbos pronominales, el pronombre va después del verbo en el imperativo afirmativo: *Lávate.*

El imperativo negativo (pág. 84)

verbos regulares

		estar	comer	subir
tú		estés	comas	subas
Ud.	no	esté	coma	suba
vosotros/as		estéis	comáis	subáis
Uds.		estén	coman	suban

Usos y observaciones:

▶ El imperativo negativo se forma con la negación *no* + el presente de subjuntivo.

▶ Los pronombres de OD y OI van antes del imperativo negativo: *No tomes ese medicamento → No lo tomes. No des la espalda a tu compañero→ No le des la espalda.*

El presente de subjuntivo (pág. 83)

verbos regulares

estudiar	aprender	asistir	aprobar
estudie	aprenda	asista	apruebe
estudies	aprendas	asistas	apruebes
estudie	aprenda	asista	apruebe
estudiemos	aprendamos	asistamos	aprobemos
estudiéis	aprendáis	asistáis	aprobéis
estudien	aprendan	asistan	aprueben

Usos:

▶ Expresar deseos: *que* + subjuntivo: *Deseo que mis padres me compren unos patines.*

verbos irregulares

venir	decir	salir	tener	hacer	poner	ser	ir
venga	diga	salga	tenga	haga	ponga	sea	vaya
vengas	digas	salgas	tengas	hagas	pongas	seas	vayas
venga	diga	salga	tenga	haga	ponga	sea	vaya
vengamos	digamos	salgamos	tengamos	hagamos	pongamos	seamos	vayamos
vengáis	digáis	salgáis	tengáis	hagáis	pongáis	seáis	vayáis
vengan	digan	salgan	tengan	hagan	pongan	sean	vayan

Los pronombres de objeto directo y objeto indirecto (pág. 85)

pronombres personales	yo	tú	usted, él, ella	nosotros/as	vosotros/as	ustedes, ellos/as
pronombres OD	me	te	lo/la	nos	os	los/las
pronombres OI	me	te	le	nos	os	les

Usos y observaciones:

▶ Si se refieren a personas, llevan la preposición *a*: *Hoy veo a Ana → Hoy la veo*; *Escribo a Juan → Le escribo.*

▶ Posición de los pronombres OD y OI:

- Antes del verbo: *Leo un libro → Lo leo. Doy mi bolígrafo a Marta → Le doy mi bolígrafo.*

- Con infinitivo: *Tienes que escribir un correo → Tienes que escribirlo. Lo tienes que escribir. Tienes que dar el regalo a tu primo → Tienes que darle el regalo. Le tienes que dar el regalo.*

Usos de *por* y *para* (págs. 69 y 71)

Por:

▶ Causa (*por* + infinitivo): *Gracias por llamarme.*

▶ Parte del día: *Por la tarde voy a clases de guitarra.*

▶ Medio: *He hablado con ella por teléfono.*

▶ Precio: *Lo he comprado por 5 €.*

Para:

▶ Finalidad (*para* + infinitivo): *Tienes que hacer ejercicio para estar en forma.*

▶ Límite de tiempo: *Tengo que hacer el trabajo para mañana.*

▶ Destinatario: *El regalo es para mi hermana.*